MWY [illegible]

mwy o HOFF GERDDI CYMRU

Gomer

Cyhoeddwyd yn 2010 gan Wasg Gomer,
Llandysul, Ceredigion SA44 4JL.

ISBN 978 1 84851 295 5

Ymddangosodd 'Camgymeriad', Dewi Rhys-Jones gyntaf
yn *Taliesin*, cyfrol 117, gaeaf 2002.

Ymddangosodd 'Perthyn', Islwyn Ffowc Elis yng nghylchgrawn *Golwg*.

Dymuna'r cyhoeddwyr gydnabod cymorth
Cyngor Llyfrau Cymru.

Argraffwyd a rhwymwyd yng Nghymru gan
Wasg Gomer, Llandysul, Ceredigion.

DIOLCHIADAU

Hoffai Gwasg Gomer ddiolch yn ddiffuant i bawb fu'n ein cynorthwyo i gael y cyfrol hon i fwcwl:

i'r beirdd a pherchenogion hawlfreintiau'r hoff gerddi oll, ac i'r cyhoeddwyr gwreiddiol am eu caniatâd parod i gynnwys y cerddi yn y gyfrol;

i *Raglen Nia* ar Radio Cymru am fod mor frwd dros y syniad o gasglu hoff gerddi ac am hysbysebu'r ymgyrch gasglu a dilyn ei hynt, ac i'r gwrandawyr am wrando a gweithredu;

i *Wedi 3* ac *Wedi 7* hefyd am eu cymorth gyda chodi'r ymwybyddiaeth am *Mwy o Hoff Gerddi Cymru* ac i'r gwylwyr am ymateb;

i Gyngor Llyfrau Cymru am bob cymorth;

i John Reynolds am ei lyfrgell ar waelod y grisiau;

ac i John B. Lewis am ddyfalbarhau a nodi bod yr amser yn briodol ar gyfer ail gyfrol.

Diolch yn fawr iawn i bawb bleidleisiodd ac i bawb a fynegodd farn a'i rhannu gyda ni.

RHAGAIR

Gan fod deng mlynedd wedi mynd ers cyhoeddi *Hoff Gerddi Cymru* daeth yn amser casglu unwaith eto. Yn y ddeng mlynedd honno mae menyw wedi ennill y gadair, mae sawl un o'n beirdd a'n llenorion anwylaf wedi'n gadael ni ac mae'n golwg ar y byd wedi newid.

Gydag ail gyfrol, roedd gobaith unioni'r 'cam' am y cerddi nas cynhwyswyd yn y gyfrol gyntaf ond gyda threigl amser ganed mwy o gerddi i'w hystyried, a lle i gant yn unig oedd ar gael. Felly, yn rhyfedd ddigon, gadawyd hyd yn oed mwy o gerddi allan o'r casgliad hwn! Byddwn ffyddiog y daw eu tro hwy eto.

Mae'r gyfrol hon, fel y gyfrol a aeth o'i blaen hi, yn cynnwys cerddi amrywiol eu cywair ac yn adlewyrchu'r hyn sy'n bwysig i ni fel unigolion ar adegau gwahanol yn ein bywydau, adegau pan na fydd dim ond cerdd yn gwneud y tro. Nid ydym yn nodi rhesymau pobl dros ddewis y naill gerdd yn hytrach nac un arall – gall fod cyfrol arall yn y fan honno – ac nid yw'r cerddi yn eu trefn o ran poblogrwydd ychwaith gan nad ein bwriad oedd codi rhai cerddi uwchlaw eraill. Gobeithio y byddwch yn mwynhau'r dilyniant.

Daeth ymateb o bob cwr o'r wlad i gais Gomer am hoff gerdd, drwy lythyr, dros y ffôn, mewn e-bost – roedd pobl, hyd yn oed yn fy stopio ar y stryd i rannu. Diolch i bawb a roddodd o'u hamser i gysylltu ac esbonio'u rhesymau dros gynnig eu dewis. Roedd ambell gerdd wedi cydgerdded â rhywun gydol ei fywyd neu wedi dod yn bwysig iddo ar gyfnod penodol, neu yn eu hatgoffa hwy o ddigwyddiad neilltuol. Gwerthfawrogwyd pob gohebiaeth ac am fod mor barod i ymddiried, nid y cerddi yn unig i'm gofal ond, y rhesymau a'r profiadau preifat sy'n cyd-fynd â hwy'n ogystal.

Mae amrywiaeth y casgliad hwn yn adlewyrchu rhychwant y profiad dynol: cerddi serch, cerddi galar, cerddi cofio, cerddi gwlatgarol a cherddi digri. Gan ei bod yn aml yn haws cofio rhigwm o blentyndod na'r hyn ddigwyddodd ddoe nid syndod yw nodi bod llawer o'r cerddi a ddewiswyd yn rhai sy'n perthyn i gyfnod plentyndod a ieuenctid, yn gerddi a ddysgwyd ar gyfer steddfod neu gyngerdd, cerddi y llafuriwyd uwch eu pen yn yr ystafell ddosbarth neu a adroddwyd ar yr aelwyd.

Yn naturiol mae yma gerddi enwog sy'n adnabyddus i ni gyd; mae yma hefyd gerddi a anghofiwyd gan y mwyafrif ond sy'n dal i daro tant gyda rhai, ac y mae yma gerddi eraill sy'n gwbl newydd i ni. Felly dylai hi fod, dyna natur cyfrol fel hon. Cofiwch mai gofyn i bobl ddewis eu *ffefrynnau* o blith barddoniaeth o bob cyfnod a wnaed nid gofyn am glasuron ond cofiwch hefyd bod 'ffefryn' yn wahanol i glasur. Rheswm personol sydd y tu ôl i ddewis hoff gerdd, does dim rhaid iddi fod yn glasur, does dim rhaid iddi fod yn ddwys; ei gwerth yw ei bod wedi cael effaith ar rywun rywdro ac wedi canfod lle arbennig yn y galon.

Mympwy, wrth gwrs sy'n pennu dewis fel hyn, a phe byddem yn casglu ar gyfer cyfrol debyg flwyddyn nesaf neu rywdro arall, byddai'r dewisiadau'n wahanol eto, fel y'm hatgoffwyd sawl tro gan sawl un. Er hynny, bu'r gwaith o gasglu'r cerddi ynghyd yn bleser ac yn fraint fawr. Rwy' wedi chwerthin, llefain, ochneidio, ymdawelu, pensynnu a meddylu. Diolch i chi am y cyfle hwn.

Ymhen amser, mae'n siŵr, daw cyfrol arall o hoff gerddi, ac os bydd gennych chi hoff gerdd yr hoffech i ni ei hystyried ar gyfer y gyfrol nesaf yna cysylltwch â ni yng Ngwasg Gomer. Yn y cyfamser, mwynhewch y gyfrol hon.

Elinor Wyn Reynolds
Gwasg Gomer
Hydref, 2010

I'r cerddi hynny na chynhwyswyd yn y gyfrol hon, hoffwn ddiolch iddynt am fodoli a'n swyno, a chynnig cerdd arall i wneud peth iawn am iddynt beidio â chael eu cynnwys y tro hwn.

YMDDIHEURIAD

(I'r cerddi na cheir yma)

Nid hyfryd ceisio'ch gollwng chwi dros go'
  A'ch lled-ddiarddel, wedi'r cymun maith
A ffynnai rhyngom, ac nid rhwydd o dro
  Eich hanner sennu mor ddiswta chwaith;
Canys ni allaf lwyr anghofio'r ias
  Ddigymell oedd i'ch dyfod deifiol chwi
O un i un, yn wreichion noeth, di-dras
  O rywle, rywsut, i'm hymwybod i;
A chwyddo'n fflamau chwyrn dros ennyd awr,
  A'u craidd o ddefnydd eirias dirgel fyd,
Nes i chwi ddiffodd, wedi'r gloywi mawr,
  Ac yna chwalu'n llwch di-gamp i gyd.
Am i chwi losgi'n lludw gan eich nwyd,
  Nid dyma'ch lle, wrthodedigion llwyd.

T. H. PARRY-WILLIAMS

CYNNWYS

CYFAILL

Mae fy ngobeithion yn rhan ohonot,
Mae fy nioddef a'm hofnau'n eiddot,
Yn d'oriau euraid, fy malchder erot,
Yn d'oriau isel, fy ngweddi drosot,
Mae'n well byd y man lle bôt, – mae deunydd
Fy holl lawenydd, fy nghyfaill, ynot.

J. J. WILLIAMS

CLYCHAU CANTRE'R GWAELOD

O dan y môr a'i donnau
  Mae llawer dinas dlos
Fu'n gwrando ar y clychau
  Yn canu gyda'r nos;
Trwy ofer esgeulustod
  Y gwyliwr ar y tŵr
Aeth clychau Cantre'r Gwaelod
  O'r golwg dan y dŵr.

Pan fyddo'r môr yn berwi,
  A'r corwynt ar y don,
A'r wylan wen yn methu
  Cael disgyn ar ei bron;
Pan dyr y don ar dywod
  A tharan yn ei stŵr,
Mae clychau Cantre'r Gwaelod
  Yn ddistaw dan y dŵr.

Ond pan fo'r môr heb awel
  A'r don heb ewyn gwyn,
A'r dydd yn marw'n dawel
  Ar ysgwydd bell y bryn,
Mae nodau pêr yn dyfod,
  A gwn yn eitha' siŵr
Fod clychau Cantre'r Gwaelod
  I'w clywed dan y dŵr.

O cenwch, glych fy mebyd,
  Ar waelod llaith y lli;
Daw oriau bore bywyd
  Yn sŵn y gân i mi.
Hyd fedd mi gofia' 'r tywod
  Ar lawer nos ddi-stŵr,
A chlychau Cantre'r Gwaelod
  Yn canu dan y dŵr.

YR ESGYRN HYN

(Ffansi'r funud)

1

Beth ydwyt ti a minnau, frawd,
Ond swp o esgyrn mewn gwisg o gnawd?

Gwêl d'anfarwoldeb yng ngwynder noeth
Ysgerbwd y ddafad wrth Gorlan Rhos Boeth;

A'r cnawd a'r gïau a fu iddi gynt,
Yn bydredd ar goll yn y pedwar gwynt,

Heb ddim i ddywedyd pwy oedd hi
Ond ffrâm osgeiddig nad edwyn gi.

2

Beth fyddi dithau, ferch, a myfi,
Pan gilio'r cnawd o'r hyn ydym ni?

Diffydd y nwyd pan fferro'r gwaed,
Derfydd am siom a serch a sarhaed.

Ni bydd na chyffwrdd na chanfod mwy:
Pan fadro'r nerfau, ni theimlir clwy.

Ac ni bydd breuddwyd na chyffro cân
Mewn penglog lygadrwth a'i chraciau mân.

Nid erys dim o'r hyn wyt i mi –
Dim ond dy ddannedd gwynion di.

Ni bydd ohonom ar ôl yn y byd
Ond asgwrn ac asgwrn ac asgwrn mud;

Dau bentwr bach dan chwerthinog ne',
Mewn gorffwys di-gnawd, heb na bw na be.

Nid ydym ond esgyrn. Chwardd oni ddêl
Dy ddannedd i'r golwg o'u cuddfa gêl.

Chwardd. Wedi'r chwerthin, ni bydd, cyn bo hir,
Ond d'esgyrn yn aros ar ôl yn y tir –

Asgwrn ac asgwrn, forwynig wen,
A chudyll a chigfran uwch dy ben;

Heb neb yn gofyn i'r pedwar gwynt:
'P'le mae'r storm o gnawd a fu iddi gynt?'

I. D. HOOSON

Y LLWYNOG

Mi welais innau un prynhawn
  Dy hela yn y dyffryn bras,
Gan wŷr a merched, cŵn a meirch,
  Y lledach dlawd a'r uchel dras;
Gwibiaist o'm gŵydd fel mellten goch
A'th dafod crasboeth ar dy foch.

Yn unig druan o flaen llu,
  Yn llamu'r ffos yn wyllt dy hynt;
Y llaid ar dy esgeiriau llyfn,
  A chorn y cynydd ar y gwynt;
O'th ôl roedd Angau'n agosáu,
O'th flaen dy ryddid di a'th ffau.

Rwyt yn ysbeiliwr heb dy fath,
  Pa beth yw deddfau dyn i ti?
Ni wn a dorraist ddeddfau'r Un
  A blannodd reddf dy natur di;
Ond gwn na chei, ffoadur chwim,
Gan ddyn na chŵn drugaredd ddim.

Mynnwn pe mynnai'r Hwn a wnaeth
  Dy goch ddiwnïad siaced ddrud,
A luniodd dy 'ryfeddod prin'
  It gael dy ddwyn yn iach i'th dud,
I'r creigiau tal ar grib y bryn,
A fflam dy lygaid eto 'nghyn.

Mi fûm mewn pryder oriau hir,
  Ond daeth llawenydd gyda'r nos
O wybod mai oferedd fu
  Dy hela di hyd waun a rhos,
A'th fod yn hedd y rhedyn crin,
  Â'th ben ar bwys dy balfau blin.

T. LLEW JONES

MAM

Wylais wrth weld ei chlai
Yn ei garchar pren,
Mor oer,
Heb gyffro bywyd na sirioldeb mwy.

Ffyddiog oedd llais yr Offeiriad,
'Efe a heuir mewn llygredigaeth
Ac a gyfodir mewn anllygredigaeth . . .'

Ond oni welsom ni,
Trwy fisoedd ei chystudd,
Y gwyfyn yn datod
Ei hardderchowgrwydd,
Yn difa'i deunydd?

Oni welsom y golau yn ei llygaid
Yn pylu ac yn diffodd?

Ac eto . . .

Yn dwyn ei harch
Roedd ei hwyrion cyhyrog hi;
Meibion ei meibion oeddynt;
Ac onid ei gwaed hi
Oedd yn fwrlwm yn eu gwythiennau hwy?

A thu ôl i'w harch fudan,
Yn lluniaidd a theg,
Fel merched Jeriwsalem,
Y rhai a ddilladai Saul ag ysgarlad,
Cerddai ei hwyresau swil,
Sef plant ei phlant,
A'u plant hwythau.

A hwy fydd etifeddion y ddaear;
A hwy a fwriant had,
Ac a ddygant ffrwyth;
A llinynnau ei chadernid hi
A fydd arnynt.

Ac am ei bod hi'n wâr, a thrugarog a thriw,
Felly y byddant hwythau hefyd.
A bydd tiriondeb lle trigant,
A'r ddaear a flodeua'n ardd dan eu traed.

A bydd hi,
Y fwyn fam,
Yno yn ei chanol,
Yn briffordd a ffordd,
Yn ddolen â'r gorffennol,
Yn seren yn ffurfafen eu nos,
Yn ofal uwch pob crud newydd.

Ewch â'r arch i'r pridd,
A rhowch orffwys i'r cnawd cystuddiedig;
Ac nid wylaf mwy.

Canys
Y mae Mam yma o hyd
Yn ynni mawr yn ein mysg.

NEIL ROSSER

OCHOR TREFORYS O'R DRE

Dyw e ddim yn rhy bert, dyw e ddim yn rhy hardd,
Mae 'di bod yn ysbrydoliaeth i ambell i fardd,
I Gwenallt chi'n gweld, o'dd e'n fwy na lle –
Ochor Treforys o'r dre.

Gweddillion ffwrneisi, tai teras mewn rhesi,
Adeilade'n pwtru, a'r Tawe yn drewi.
Dyw hwn ddim yn dwll, ma'n fwy na lle –
Ochor Treforys o'r dre.

Caled yw hanes y fro,
Tlodi yn fyw mewn sawl co',
Caled o'dd bywyd y fro,
Hiwmor mor ddu â glo.

Clydach a Glais, Birchgrove, Bôn-y-maen,
Plant yn whare ar yr hewl, pob mam ar bigau'r drain,
Cwestiwne digon ewn ac atebion digon plaen –
Ochor Treforys o'r dre.

Tair milltir crwn ar wilod y cwm,
Ceir yn dod o bobman a'r aer yn llawn plwm.
Sgidie llwm, acenion trwm
Lawr yn ochor Treforys o'r dre.

Caled yw hanes y fro
Tlodi yn fyw mewn sawl co',
Caled o'dd bywyd y fro,
Hiwmor mor ddu â glo.

Shimpil yw y shipshwn sy'n byw 'ma yn y llacs,
Golwg wyllt Gwyddelig, wmladd gyda Jacs;
Eu ceir nhw sydd yn foethus ond dillad sydd yn rhacs,
Tincars Treforys a'r dre.
Rownd fan hyn, chi'n gweld, ma'n nhw'n siarad de,
Pice mân a bara lawr a dishgled o de.
I rai sy wedi gatel ma' fe'n seithfed ne'
Lawr yn ochor Treforys o'r dre.

ANHYSBYS

TRIBAN

Tri pheth sy'n anodd napod,
Dyn, derwan a diwarnod,
Y dydd yn hir, a'r pren yn gou
A'r dyn yn ddouwynepog.

BANCIO AR DDUW

Duw ein Iôr yw'r banc sy'n gwrando
Pan fo'r banciau'r byd ar gau,
Etyb ef yn gadarnhaol
Pan fo'r gweddill yn nacáu,
Pan fo'r *krugerrands* yn disgyn
A'r doleri'n mynd fel gwynt,
Mewn dinewid gyfnewidfa
Un sefydlog yw ei bunt.

Mae'n gymdeithas adeiladu
I gartrefi, nid i dai,
Ac mae'r Halifax a'r Abbey
Yn ei ŵydd yn mynd yn llai;
Llawer ydyw y trigfannau
A ddarparodd yn y nef
Ac mi wn fod yr allweddau'n
Hongian wrth ei wregys ef.

Talodd Crist y morgais drosom,
Dyma'r prynwr gorau gaed,
A phob dogfen gadwedigol
Seliwyd gyda sêl o waed,
Mae pob dyled wedi ei setlo;
Rhoddwyd pob llyfr cownt ar dân,
A llofnodwyd y cytundeb
Gan y Tad a'r Ysbryd Glân.

Dyma'r fan i fentro'r cyfan
Heb i'r prif swm fynd yn llai,
Lle mae'r stociau fyth yn llifo,
Lle mae'r siariau yn ddi-drai.
Mynd a wnaf i fanc y banciau,
Lle mae'r llog yn gant y cant,
A lle rhoir yr un telerau
I'r pechadur ac i'r sant.

CAMGYMERIAD

Adweithio 'nes i i'w bod llethol a
Bendithio'r teimlad llawn hwnnw.
Cadeirio barddoniaeth dau gorff a all
Chwalu presennol ffrwsclyd.
Dadansoddi arwyddocâd y digwyddiad wrth
Edrych i'w llygaid a chredu ynddi.
Fferru eiliadau am byth yn y cof cyn
Gafael ym mreuddwydion y dyfodol.
Hadu dechreuadau obsesiwn gan obeithio
Iacháu rhyw glwyf neu'i gilydd.
Jocan wedyn bod y storïau serchus yn wir wrth
Loetran o flaen ei grym a
Llacio ar yr ofn sydd ynof.
Maglu synhwyrau twyllodrus a
Newid ffordd o feddwl; rhaid
Osgoi gweld yr amlwg yn ei hymddygiad.
Parablu am bopeth pwysig;
Rwdlan felly.
Rhaglennu cwymp dyn bregus gan
Sancteiddio'i chalon a'i nerth.
Tagu hen rwystredigaethau ac
Ufuddhau i'w threigl nwydwyllt ond
Wylo wedyn wrth iddi
Ymadael.

ROBERT OWEN

Y MACHLUD

Gynnau, â'r haul yn disgyn i'r heli,
Roedd y môr yn win hyd y ffin orllewinol,
A thonnau'r dŵr fel eithin ar dân.

O'r traeth i'r gorwel llwybr a welwn
Fel llinyn yn ymestyn ar draws y môr,
A gwaed oedd y llwybr i gyd.

Fel pe cyfodasai dragon o'r tonnau,
O ddŵr eigion, gan ymgynddeiriogi;
A mynnu, trwy rym ei ewinedd
Ddwyn haul haf o'r ffurfafen
I lawr i'r isel selerydd
Mall, ar waelodion y môr.

Oedais i edrych. A gweld wedyn
Yr haul yn suddo, gan gilio o'r golwg
Draw ymhell dros loywder y môr,
A ffrwydro wrth daro'r dŵr,
A lliwio holl gant y gorllewin
Onid oedd fel ffwrn o dân:
Yna'r un ffunud
Y llwybr a welswn megis aur llosg
Gynnau, buan y diflannodd
Yntau wedi awr ei anterth.
A mwy nid oedd namyn y dŵr
Ariannaidd, a gloywder wyneb
Y lli rhagllaw
Yn aros rhyngof a'r gorwel:
Awr fach, a'r hwyr a fu.

CLOCH Y LLAN

Mae hi'n Saboth am unwaith eto, Sian,
  A chanu mae cloch y Llan,
A chystal cyfaddef, mae'n galed, Sian,
  Heb allu mynd gam o'r fan;
Amser i'w gofio oedd hwnnw gynt
  Pan aem i addoli 'nghyd,
Heb gyfri'r milltiroedd, drwy law a gwynt,
  Na dim i gymylu'n byd.

Glyw' di hi'n canu? Yr un hen gloch
  Ag a ganai'r bore gwyn
Pan ddest i'm cyfarfod a gwrid ar dy foch
  I'r Eglwys yn ymyl y llyn;
Roedd hi'n canu'n bereiddiach bryd hynny, Sian,
  Fel y cofi'n dda mi wn,
Ac 'roedd mwy o aur yn dy fodrwy, Sian,
  Nag sydd ynddi'r bore hwn.

Y dydd pan ddilynem ni elor Gwen
  I'w bedd yn y fynwent lwyd,
Ti gofi'r offeiriad mewn llaeswisg wen
  Yn ein cwrddyd yn ymyl y glwyd;
Oes, mae deugain mlynedd er hynny, Sian,
  A bu llawer tro ar fyd,
Ond bydd deigryn hiraethus yn gwlychu 'ngrân
  Man y cano'r gloch o hyd.

Mae'n heinioes, anwylyd, yn dirwyn i ben,
  Ac awr y noswylio'n nesáu,
A'r gloch oedd yn canu ddydd angladd Gwen
  Fydd yn canu pan gleddir ni'n dau;
A phwy fydd ei hunan yn ymyl y tân
  Yn dlawd a digysur ei fyd?
Fe fyddai'n drugaredd – oni fyddai, Sian? –
  Pe galwai'r hen gloch ni'r un pryd.

I EINIR

Ofer aur ac ofer arian, ofer
hefyd bopeth diddan,
ofer cwsg ac ofer cân,
ofer yn wir yw'r cyfan.

Ofer ddawn i farddoni a gefais
ac ofer yw 'ngherddi,
ofer pob dim roed imi
yn y byd hwn hebot ti.

DADENI

(Detholiad)

Tybed?! Ni fentraf gredu
er bod lleisiau'r greddfau'n gry,
amau yr hyn roed imi
a'r wyrth hardd drodd fy nghroth i
yn amlen; eto, teimlaf
chwarae rhwydd iâr fach yr haf,
glöyn ewn tu mewn i mi
rywsut yn troi a throsi'n
friw afrwydd, yn wefr hyfryd
yn fy neffro'n gyffro i gyd –
ac o wrando ei gryndod
ynof fi, mi wn ei fod.

Yn y dechrau, amau'r rhodd
ond rwyf yn gwybod rywfodd
na allaf wadu bellach
fod ynof fi dy wên fach.

Dan fy llaw, daw alaw deg
trwy'r symud diresymeg,
a churiad dwrn eratic
ar y drwm yn chwarae'i dric.
Dy galon yw hon a hi
yw'r alaw sy'n rheoli.

Adnabod y dyfodol
yw dy law'n gadael ei hôl,
neu annel dy benelin
ar ras i ffoi 'mhell dros ffin
denau fy ngwast elastig.
I'r oriau mân, chwarae mig
a wnei di, a ni ein dau
yn gymun yn ein gêmau.

Ar y sgrîn, gweld fy llinach
mewn ynni un babi bach,
a hanner gweld fy hunan
yn y sgwâr, yn llwydni'r sgan.
Yn y darn rhwng gwyn a du
mae egin pob dychmygu,
a'r smotyn mewn deigryn dall
yw'r 'fory, yw'r fi arall –
hwn yr un a fydd ar ôl,
yr un, ac un gwahanol.

Fy hanes yw dy hanes di, un cylch
yn cau a'i ddolenni'n
ddi-dor, un yw ein stori,
a hon sy'n ein huno ni.

Y FFYNHONNAU

(Detholiad)

Gwrandewch.
Mae gorfoledd dyfroedd yn fy nghlustiau heno.
Yr Ynys-wen, Ynysfeio, yr Ynys-hir.
Yr holl ffordd i Eglwysilan.
A'r ffynnon wylaidd ar Ben Rhys,
Mor hardd â gem ar ddwyfron,
Yn dal i foli Mair.
Mae'r Ffynhonnau'n fyw.

* * *

Gwrandewch. Fe'm ganed yma. Mae marc y Cwm
Fel nod ar ddafad arnaf. Acen. Atgofion. Cred.
Roedd y Rhyfel Mawr yn rhan o'm babandod. Fel torri-
dannedd, a'r pas.
Roedd y Streic Fawr yn rhan o'm bachgendod. Fel marblis.
A merched.
Magwyd fi'n dyner ar fronnau'r ysgol Sabothol a'r tip-glo,
Cap-ysgol a sgidiau-hoelion drwy'r wythnos, melfed a
botymau-perl bob Sul;
Cynefin â ffowndri, sinema, cae-ffwtbol, bandrwm a
Chymanfa Ganu,
Ceriwb bochgoch Cymreigaidd yn dysgu-adnod a rhegi
yn ôl y galw.
Rwy'n cofio . . .
yr hwteri hurt yn dychryn yr adar diniwed,
Olwynion, peiriannau, tramiau yn distrywio nos ar ôl nos,
A'r pwll digywilydd – gorweddai ger yr afon
A'i dipiau fel tethau hen hwch yn y dŵr –
Yn torri gwynt yn wyneb y nef.
A'r mamau llwythog a'r gwŷr noethlymun yn y twba
o flaen y tân . . .

– Cau'r blydi drws 'na!
– Dere i olchi 'nghefen-i!
A'r plant yn dynwared eu rhieni ar y stryd . . .

Gwrandewch.
Fedrwch-chi weld yn awr gyda mi –
yma, yn nydd y wiwer goch,
A'r glomen-wyllt a'r ffesant a'r petris prydferth,
Yn ffynhonnau ffraeth, yn gymorth hawdd eu cael
I'r werin ddiwyd, pan nad oedd ond y dŵr a phridd y ddaear
I leddfu'r newyn yn eu llygaid mwyn?
Fedrwch-chi weld yn y goleuni gwledig,
Ŵr mor ara-deg â'i anifail,
Yn treulio oes rhwng dau gae,
A'i feddwl mor gul â'i gloddiau,
A'i Gymraeg fel ffynnon ar ei wefus wâr?
Fedrwch-chi glywed yn y tawelwch tlws,
Sêr mor hyglyw â'r adar,
A'r dwylo a fu'n tywys yr aradr
Yn tiwnio telyn fel Orffews gynt yn ffynnon o gân?
Roedd diniweidrwydd mor gyffredin â gwlith
Ar y mynyddoedd hyn y pryd hwnnw,
A daioni'r galon yng nghlydwch y gegin gymysgryw –
Ieir, cathod, cŵn a'r defaid busneslyd –
Mor gynnes ag wy newydd mewn nyth.

DISTAW NAWR YW DWNDWR NEITHIWR, DISTAW

Distaw nawr yw dwndwr neithiwr, distaw.
Du yn ôl ar ôl rhyw seren wib o liw.
Mae hen frafado neithiwr imi'n fraw.

Difyrru'n ffraeth, parablu heb ddim taw,
a phawb yn chwerthin – dyna i chi gês.
Distaw nawr yw dwndwr neithiwr, distaw.

Er brolio peintiau gorlawn yn fy llaw
a meddwi er mwyn cyrraedd angof mwyn,
mae hen frafado neithiwr imi'n fraw.

Ac wedi cael rhyw gysgod rhag y glaw
ym mreichiau adlewyrchiad oer fy chwant,
distaw nawr yw dwndwr neithiwr, distaw.

Ac wylaf, wedi'r wefr, yn wag fy llaw
mewn storm o fud-ddifaru yn fy mhen;
mae hen frafado neithiwr imi'n fraw.

A gwelaf ddarlun addfwyn o ddwy law
yn tawel erfyn am ryw gyfrin hedd.
Distaw nawr yw dwndwr neithiwr, distaw.
Mae hen frafado neithiwr imi'n fraw.

PAIS DINOGAD

Pais Dinogad, fraith fraith,
O grwyn balaod ban wraith:
Chwid, chwid, chwidogaith,
Gochanwn, gochenyn' wythgaith.
Pan elai dy dad di i helia,
Llath ar ei ysgwydd, llory yn ei law,
Ef gelwi gŵn gogyhwg –
'Giff, Gaff; daly, daly, dwg, dwg.'
Ef lleddi bysg yng nghorwg
Mal ban lladd llew llywiwg.
Pan elai dy dad di i fynydd,
Dyddygai ef pen iwrch, pen gwythwch, pen hydd,
Pen grugiar fraith o fynydd,
Pen pysg o Raeadr Derwennydd,
O'r sawl yd gyrhaedda dy dad di â'i gigwain
O wythwch a llewyn a llwynain
Nid angai oll ni fai oradain.

AILAFAEL

Wrth fy niddanu gan gwmpeini'r lleng
  Llyfrau cysurlon sydd o'm cwmpas i
Yn gwarchod dros fy myw, yn rheng ar reng,
  Gan hawlio serch fy mron, ni chlywaf gri
Mynydd fy maboed na rheiolti'r gwynt
  O giliau'r henfro lle bu sang fy nhraed,
Oherwydd cwsg yw'r cariad a fu gynt
  Yn gyffro gwyllt cynddeiriog yn fy ngwaed.
Ond cyn bo hir af eto ar ryw sgawt
  Tuag Eryri'n hy, ac fel pob tro
Mi wn na wêl fy llygaid unrhyw ffawt
  Yng ngwedd yr hen fynyddoedd. Af o'm co'
Gan hagrwch serchog y llechweddau syth,
Gan gariad na ddiffoddir mono byth.

DAU GRWT YN Y GELLI AUR

Mae'r profiad ambell waith yn fwy
na lled y tafod sy'n llefaru'r gair,
mae'r llun yn fwy na'r lliw,
y môr yn ddyfnach nag yw'r llinyn byr,
mae'r alaw'n felysach na'r llais.
Ond er bod y gwaelod o'r golwg,
mae cryndod ar wyneb y dŵr.

Dau grwt oedd ewyn y glesni –
dau grwt yn y Gelli Aur,
ar dyle hir y bore'n araf eu cerdded
wrth glebran
a loetran yn y gwair;
dau frawd, mi dybiwn innau,
un yn dal a'r llall yn fyr,
a'r naill yn llaw y llall;
dau grwt yn y Gelli Aur –
y crychu ar dalcen y dŵr.

Mae'r darlun bellach yn denau
ar femrwn cras y dail,
a'r bechgyn yn niwloedd annelwig
yn y cof am y Gelli Aur –
un yn fach a'r llall yn fwy,
a'r naill yng ngofal y llall.

Cydiad eu dwylo a'm daliodd –
y llun sy'n fwy na'r lliw;
dau gnawd yn ymgynhesu
yng ngofal y naill am y llall.

Cydiad naturiol y dwylo –
yr alaw sy'n felysach na'r llais.

★

Ar garreg ddu'n y fynwent
wrth gapel yr Allt-wen,
naddwyd uwchben yr enwau aur
ddwy law ynghlwm,
dwy law gaeth mewn gwenithfaen,
dwy law annatod
ar garreg sy'n oer yn yr haul.
A phan ddaw Sul y Blodau
â'i gryman at y gwair
a'r sebon cryf i sgrwbio
adnodau gwyrdd y Gair,
mae'r cydiad dwylo yn y maen
yn gryndod eto ar wyneb y dŵr,
ac yn yr anesmwythyd blin
mae'r llun sy'n fwy na'r lliw.

⋆

Ni wn pa beth sy'n clymu'r
Allt-wen a'r Gelli Aur,
y ddeuddyn yn y ddaear,
a'r bechgyn yn y gwair,
onid y plethu dwylo
a chwlwm y bysedd glân.

⋆

Y gwaelod dwfn o'r golwg
yw'r llaw sy'n ymbil am law,
y dwylo sy'n chwilio dwylo
ar lwybrau llwch y byd –
lle mae'r llafnau'n hollti
llinynnau'r cyrff,
ac ysgar trist y bysedd yn boen;

lle mae'r naill yn chwilio am ofal
y llall;
y llwybrau araf lle mae'r hen yn oeri,
a llusgo'r blynyddoedd crin
yn rhigol y croen,
a'u hiraeth yn artaith
am wres y fynwes fwyn;
y llwybrau lle mae'r plant
yn gloddesta yn anial y briwsion,
a chwyddo'n denau
ar esgyrn brau y dwylo gwag ymbilgar;
y llwybrau lle mae Cain o hyd
yn ysgerbydu brawd,
a diffodd y llygaid
yn y llaid,
a'r llaw yn chwilio'r llaw
sy'n gryf ac nad yw'n grafanc.

⋆

Mae'r dwylo ynghlwm ar garreg
wrth gapel yr Allt-wen,
a phan ddaw Sul y Blodau
â'i gryman at y gwair,
mae'r cydiad dwylo yn y maen
yn gryndod eto ar wyneb y dŵr.

Ac felly yn y Gelli Aur
wrth gofio'r bechgyn yn y gwair;
un yn dal a'r llall yn fyr,
a'r naill yn llaw y llaw.

⋆

Mae'r profiad ambell waith yn fwy
na lled y tafod sy'n llefaru'r gair,
mae'r llun yn fwy na'r lliw,
y môr yn ddyfnach nag yw'r llinyn byr
a'r alaw'n felysach na'r llais.

MARWNAD SIÔN Y GLYN

Un mab oedd degan i mi;
Dwynwen! Gwae'i dad o'i eni!
Gwae a edid, o gudab,
I boeni mwy heb un mab!
Fy nwy ais, farw fy nisyn,
Y sy'n glaf am Siôn y Glyn.
Udo fyth yr ydwyf fi
Am benáig mabinogi.

Afal pêr ac aderyn
A garai'r gwas, a gro gwyn;
Bwa o flaen y ddraenen,
Cleddau digon brau o bren.
Ofni'r bib, ofni'r bwbach,
Ymbil â'i fam am bêl fach
Canu i bawb acen o'i ben,
Canu 'ŵo' er cneuen.
Gwneuthur moethau, gwenieithio,
Sorri wrthyf fi wnâi fo,
A chymod er ysglodyn
Ac er dis a garai'r dyn.

Och nad Siôn, fab gwirion gwâr,
Sy'n ail oes i Sain Lasar!
Beuno a droes iddo saith
Nefolion yn fyw eilwaith;
Gwae eilwaith, fy ngwir galon,
Nad oes wyth rhwng enaid Siôn.

O Fair, gwae fi o'i orwedd!
A gwae fy ais gau ei fedd!
Yngo y saif angau Siôn
Yn ddeufrath yn y ddwyfron:

Fy mab, fy muarth baban,
Fy mron, fy nghalon, fy nghân,
Fy mryd cyn fy marw ydoedd,
Fy mardd doeth, fy mreuddwyd oedd;
Fy nhegan oedd, fy nghannwyll,
Fy enaid teg, fy un twyll,
Fy nghyw yn dysgu fy nghân,
Fy nghae Esyllt, fy nghusan,
Fy nerth, gwae fi yn ei ôl!
Fy ehedydd, fy hudol,
Fy serch, fy mwa, fy saeth,
F'ymbiliwr, fy mabolaeth.

Siôn y sy'n danfon i'w dad
Awch o hiraeth a chariad.
Yn iach wên ar fy ngenau!
Yn iach chwerthin o'r min mau!
Yn iach mwy ddiddanwch mwyn!
Ac yn iach i gnau echwyn!
Ac yn iach bellach i'r bêl!
Ac yn iach ganu'n uchel!
Ac yn iach, fy nghâr arab
Iso'n fy myw, Siôn fy mab!

Y BLOTYN DU

Nid oes gennym hawl ar y sêr,
  Na'r lleuad hiraethus chwaith,
Na'r cwmwl o aur a ymylch
  Yng nghanol y glesni maith.

Nid oes gennym hawl ar ddim byd
  Ond ar yr hen ddaear wyw;
A honno sy'n anhrefn i gyd
  Yng nghanol gogoniant Duw.

CAROL Y CREFFTWR

Mewn beudy llwm eisteddai Mair
ac Iesu ar ei wely gwair;
am hynny, famau'r byd, yn llon
cenwch i fab a sugnodd fron.

Grochenydd, eilia gerdd ddi-fai
am un roes fywyd ym mhob clai;
caned dy dröell glod i Dduw
am un a droes bob marw yn fyw.

Caned y saer glodforus gainc
wrth drin ei fyrddau ar ei fainc;
molianned cŷn ac ebill Dduw
am un a droes bob marw yn fyw.

A chwithau'r gofaint, eiliwch gân,
caned yr eingion ddur a'r tân;
caned morthwylion glod i Dduw
am un a droes bob marw yn fyw.

Tithau, y gwehydd, wrth dy wŷdd,
cân fel y tefli'r wennol rydd;
caned carthenni glod i Dduw
am un a droes bob marw yn fyw.

Llunied y turniwr gerdd yn glau
wrth drin y masarn â'i aing gau;
begwn a throedlath, molwch Dduw
am un a droes bob marw yn fyw.

Minnau a ganaf gyda chwi
i'r Iddew gynt a'm carodd i;
caned y crefftwyr oll i Dduw
am Iesu a droes bob marw yn fyw.

HENAINT

'Henaint ni ddaw ei hunan'; – daw ag och
Gydag ef a chwynfan,
Ac anhunedd maith weithian,
A huno maith yn y man.

NEUADD MYNYTHO

Adeiladwyd gan dlodi; – nid cerrig
Ond cariad yw'r meini;
Cyd-ernes yw'r coed arni;
Cyd-ddyheu a'i cododd hi.

Y CŴN HELA

Tali-ho!
Medd pawb trwy'r fro
Fel rhai o'u co',
Tali-ho!
Mae'r cwm i gyd yn llawn o sŵn,
Carlamu meirch a chyfarth cŵn,
A phawb yn dilyn ar eu hôl
Dros glawdd a nant, dros ffridd a dôl;
Mae'r cotiau coch yn mynd fel tân
Ar hyd y lôn at Allt-y-frân.

Tali-ho!
Medd pawb trwy'r fro
Fel rhai o'u co',
Tali-ho!
Trwy'r allt yr ânt i gyd ar frys
A thros y cae at dŷ Sion Prys;
I lawr i'r cwm a thros y clawdd
I waun Pen-lan, a neidio'n hawdd
Dros lwyni drain a chlwydi pren,
A chroesi gweirglodd fawr Dol-wen.

Tali-ho!
Medd pawb trwy'r fro
Fel rhai o'u co',
Tali-ho!
Â'r pac bytheiaid ar ei hynt
Ffy'r cadno chwimwth fel y gwynt,
Dros ysgwydd bryn a chefnen rhos
A groesodd ganwaith yn y nos,
Nes cyrraedd hollt hen Graig-y-rhyd,
Yn ddiogel mwy rhag cŵn y byd.

DIOFAL YW'R ADERYN

Diofal yw'r aderyn,
Ni hau, ni fed un gronyn;
  Heb ddim gofal yn y byd,
Ond canu hyd y flwyddyn;

Fe eistedd ar y gangen,
Gan edrych ar ei aden;
  Heb un geiniog yn ei god,
Yn llywio a bod yn llawen.

Fe fwyty'i swper heno,
Ni ŵyr ym mh'le mae'i ginio.
  Dyna'r modd y mae yn byw, –
A gado i Dduw arlwyo.

MAENT YN DWEDYD AC YN SÔN

Maent yn dwedyd ac yn sôn
'Mod i'n caru yn Sir Fôn.
Minnau sydd yn caru'n ffyddlon
Dros y dŵr yn Sir Gaernarfon.

T. JAMES JONES

FFIN

(Detholiad)

Cyn i'r munudyn ddod â'r nos
i'n rhwymo'n oer, y mae'n aros
rhyngom a chur unrhyw angau
ddaw i'n rhawd, ein deuawd ni'n dau;

glaned â seithliw goleuni
yw du'r nos sy'n ein haros ni . . .

Ymhen hanner munud,
tra bydd gwyliedydd y goleuadau'n
hudo'i allwedd i dywyllu'r
llwyfan, a chloi diddanwch
theatr rhith tirio'r haul,
bydd dau'n ddi-ildio'n
dal dwylo'n dynn
wyneb yn wyneb â'r
nawr.

Y nawr annaearol
eiliad yr ymweliad milain;

y nawr cyniweiriol
a anafodd gynifer;

nawr y Brenin Arawn
yn dwyn eneidiau i Annwn;

nawr Lleu fel rhwng deufyd
a nawr ei droi'n eryr;

y nawr ym Maerdy a'r Drain Duon
a'i anrhaith hurt yn y Berth Ddu;

nawr ebolion di-wardd Epona
yn malu gwndwn Bryn Melyn
â charnau chwyrnwyllt;

y nawr i'r hen Fynydd
droi'n fynwent;

nawr y Babell grybibion,

nawr ein datod o'n cysgodion,

a nawr yr haul yn ei gyd-rhwng.

Ar anadl eithaf ein dydd, fe safwn
o flaen ei hud diflanedig,
ac yn sydyn wedyn, daw
nawr
ein dallu gan dywyllwch . . .

a diwedd deuawd

a'r nawr
y daw Arawn i'n hôl.

BOM

Mae twrw ei henw hi – yn 'y mhen
Ac mae hynny'n profi
Bod y weiran heb dorri:
Y mae hi'n fom ynof fi.

ANHYSBYS

COED GLYN CYNON

Aberdâr, Llanwynno i gyd,
  Plwy' Merthyr hyd Lanfabon,
Mwyaf adfyd a fu erioed
  Pan dorred Coed Glyn Cynon;

Torri llawer parlwr pur
  Lle cyrchfa gwŷr a meibion,
Yn oes dyddiau seren syw,
  Mor araul yw Glyn Cynon.

O bai ŵr ar drafael dro
  Ac arno ffo rhag estron,
Fo gâi gan eos lety erioed
  Yn fforest Coed Glyn Cynon.

Ac o delai ddeuliw'r can
  I rodio glan yr afon,
Teg oedd ei lle i wneuthur oed
  Yn fforest Coed Glyn Cynon.

Llawer bedwen las ei chlog
  (Ynghrog y bytho'r Saeson!)
Sydd yn danllwyth mawr o dân
  Gan wŷr yr haearn duon.

Gwell y dylasai'r Saeson fod
  Ynghrog yng ngwaelod eigion,
Uffern boen, yn cadw eu plas
  Na thorri glas Glyn Cynon.

Clywais ddwedyd ar fy llw
  Fod haid o'r ceirw cochion,
Yn oer eu lle, 'n ymado â'u plwy',
  I ddugoed Mawddwy 'r aethon'.

Yn iach ymlid daear dwrch,
Na chodi iwrch o goedfron;
Matsio ewig, hi aeth yn foed
Pan dorred Coed Glyn Cynon.

Mynnaf wneuthur arnynt gwest
O adar onest ddigon,
A'r dylluan dan ei nod
A fynna' i fod yn hangmon.

O daw gofyn pwy a wnaeth
Hyn, o alaeth creulon, –
Dyn a fu gynt yn cadw oed
Dan fforest Coed Glyn Cynon.

T. ROWLAND HUGHES

PE BAWN I . . .

Pe bawn i yn artist mi dynnwn lun
Rhyfeddod y machlud dros benrhyn Llŷn:

Uwchmynydd a'i graig yn borffor fin nos
A bae Aberdaron yn aur a rhos.

Dan Drwyn-y-Penrhyn, a'r wylan a'i chri
Yn troelli uwchben, mi eisteddwn i

Nosweithiau hirion nes llithio pob lliw
O Greigiau Gwylan a'r tonnau a'r rhiw.

Ac yna rhown lwybyr o berlau drud
Dros derfysg y Swnt i Ynys yr Hud:

Mewn llafn o fachlud ym mhellter y llun
Ddirgelwch llwydlas yr Ynys ei hun.

'Ond 'wêl neb mo Enlli o fin y lli.'
'Pe bawn i yn artist,' ddywedais i.

CARIAD CYNTAF

Mae prydferthwch ail i Eden
yn dy gynnes fynwes feinwen
fwyn gariadus liwus lawen,
  seren syw, clyw di'r claf.

Addo'th gariad i mi heno
gwnawn amodau cyn ymado
i ymrwymo, doed a ddelo:
  rho dy gred, a d'wed y doi.

Yn dy lygaid caf wirionedd
yn serennu gras a rhinwedd,
mae dy weld i mi'n orfoledd;
  seren syw, clyw di'r claf.

Y COED

Chwe miliwn o goed yng Nghaersalem, fe'u plannwyd hwy
Yn goeden am bob corff a losgwyd yn y ffyrnau nwy.

Coed sydd yn estyn eu gwreiddiau i ganol lludw pob ffwrn,
Y lludw sydd wedi mynd ar goll, heb fynwent na bedd nac wrn.

Chwithig oedd gweled y cangau fel cofgolofnau byw,
Ac nid marmor na gwenithfaen, na hyd yn oed yr angladdol yw.

Ni chlywem ni na chlychau'r eglwys na mŵesin y mosg,
Ond clywed rhwng eu cangau hwy y marwnadau llosg.

Nid yw'r dwylo a'u plannodd yn ddieuog, na'u cydwybod yn lân,
Canys diddymodd yr Israeliaid bentrefi'r Arabiaid â'u tân.

Pam na ddylai'r Arabiaid, hwythau, godi yn Cario ac Amân
Fforestydd o goed i gofio?

Ond ni allwn ni gondemnio'r Natsïaid na'r Iddewon ychwaith
Canys fe droesom o'r awyr Dresden yn un uffern faith;

A gollwg y ddau fom niwclear ar y ddwy dre yn Japan.

O'r holl ganrifoedd a gerddodd ar y ddaear er cychwyn y byd,
Yr ugeinfed yw'r fwyaf barbaraidd ohonynt hwy i gyd.

A bydd y nesaf yn waeth am fod y bomiau a'r rhocedi yn fwy,
A dyfeisir mewn labordai dirgel sawl math o nwy.

A phan ddaw'r trydydd Rhyfel i gadw ei ddychrynllyd oed,
Ni ellir rhifo'r lladdedigion llosg, na rhifo ychwaith y coed.

Chwe miliwn o goed yng Nghaersalem, chwe miliwn, a thair croes,
Ac ar y ganol yr Unig Un a fu'n byw'r Efengyl yn ei oes.

Daw'r tymhorau i newid eu lliwiau, gwyrdd, melyn a gwyn.
Ond coedwig y marwolaethau'n aros a fyddant hwy, er hyn.

Pan fyddant ymhen blynyddoedd wedi tyfu i'w llawn maint,
Fe wêl y genhedlaeth honno nad oeddem ni yn llawer o saint.

R. S.

Lle yfwn gerddi llafar,
rhy hawdd yw bît beirdd y bar:
awn am *O!* 'r gwrandawyr mwy
â'n hias glyd, ddisgwyliadwy,
neu'r chwerthin sy'n glod inni
yn yr iaith ffraeth, ffwr'-â-hi.
Da yw'r bois am odro'r *buzz* –
sêr panto'n plesio'r *punters* –
ac wrth ganu'n ein Guinness
adar ŷm.
Ond nid R. S.

Canai delyneg eger
o fwyn a'i phoeri o'i fêr,
wrth regi'n swrth ar gân serch
i'r pridd yn nagrau Prytherch.
Carai'r Iago caregog,
a charai'r awch ar ei og,
a rhychau sur chwys ei wedd,
a'r waun dan yr ewinedd.

Gwelai hwn mewn gwylanod
emynau Duw'n mynd a dod
heibio i'r iet, fel y brain,
yn nefolaidd o filain.
Dwedai beudy ei bader;
ar do'r sied siaradai'r sêr;
ac o'r clai fe glywai'n glir
angel Crist yng nghlec rhostir.

Ac er i'w wlad ei wadu,
fe garodd ef, â'i gerdd ddu,
ei henaid balch hyd y bedd,
a'i garu'n ddidrugaredd.

Mae beirdd y bar yn aros
hwrê a nawdd cwrw'r nos,
ond nid un ohonyn' nhw,
na llenor cerrig llanw,
ydoedd.

    Na, clogwyn ydyw,
    mewn rhyw storm yn aros Duw.

YFORY

A'm clust ar grwst y ddaear, clywaf fudo
Y Chwyldro'n araf nesu oddi draw;
Bleiddiaid y gorthrwm ar y tlawd yn udo
Er cuddio'u gwendid ac anghofio'u braw.
Gwelaf y llu banerog â'i lumanau
A rhychau gorthrwm ar wynebau llwyd;
Wedi'r distawrwydd yn y gell a'r tanau
Hawlia gwerinoedd byd eu rhan o'r bwyd.
Fe ddeil y pin a'r tafod eto i leisio
Bod dyddiau ysbail dyn ar ddyn ar ben;
Myfi yw proffwyd gwerin sydd yn ceisio
Geiriau a dry i fradwyr byd yn sen:
Llefaraf heddiw – cans yfory bydd
Gwerin yn codi o'i chadwynau'n rhydd.

Y TAPESTRI

Rhyfedd fel y rhydd Amser
Ei bysedd yn dyner
Hyd edafedd y dyddiau,
A thoddi'r lliwiau i'w gilydd i gyd
Ar dapestri bywyd.

Ni chenfydd y llygad,
Heb weled trwy wydrau'r cof,
Fod rhywbeth yma
Na ellir
Bellach
Ei esbonio
Ond yng ngolau gwan
Y gorffennol.

Rhwyg yn y cynfas
A'r llun yn llifo trosto,
Yn gwefreiddio'n gareiau o liwiau
Hyd y cynllun cyflawn.
Pwythwyd dros yr ymylon
Yn llon, yn lliwgar,
Ond wrth ddod ato
Bob tro, ar hytraws,
Y petruso,
Y pwytho gofalus.

Ac os daw'r gwaith yn gyfanrwydd
Ryw dro,
Yn sbloet o liwiau dewisol,
Ni ellir distaw ddiystyru'r ddoe
Roes y newid dinod i'r darlun.

Mae yno
Dan edafedd y dyddiau.
Ac Amser hen yn brysur
Â'i bysedd meinion
Yn mynnu mwytho'r undod
Rhag gwydrau manwl y cof.

BLUES PONTCANNA

Mi alwodd rhywun *yuppie* ar fy ôl i,
wrth ddod yn ôl o'r deli gyda'r gwin;
rwy'n methu ffeindio'r fowlen *guacamole*,
ac nawr rwy'n ofni y bydd fy ffrindiau'n flin.
Anghofion nhw fy nghredit ar y sgrin.
'Does neb yn gwybod fy nhrafferthion i gyd,
'does neb i 'nghanmol heblaw fi fy hun.
Mae *blues* Pontcanna yn diflasu 'myd.

Rhaid mynd i'r ddinas, ond y trwbwl yw
mae'n beryg parcio'n rhywle heblaw'r gwaith,
rhag ofn i'r iobiau grafu'r BMW
ac i ugain mil o gar ddiodde' craith.
Dim byrddau yn Les Gallois ar ôl saith.
Baglais dros ddyn digartref yn y stryd.
'Dyw 'nynes llnau i ddim yn medru'r iaith.
Mae *blues* Pontcanna yn diflasu 'myd.

'Dyw'r un o'm ffrindiau wedi gweld fy lluniau
yn *Barn*, er imi'i roi'n y stafell fyw.
Y bore 'ma, mi glywais ddyn y biniau
yn dweud ystrydeb hiliol yn fy nghlyw.
Mae rhywbeth mawr yn bod ar fy *feng shui*.
Mae'r gath 'di bwyta'r *anchovies* i gyd.
Mae *Golwg* wedi 'mrifo i i'r byw.
Mae *blues* Pontcanna yn diflasu 'myd.

Mae'n artaith bod yn berson creadigol
ac Es Ffôr Si yn talu'r biliau i gyd,
a neb 'di galw ar fy ffôn symudol.
Mae *blues* Pontcanna yn diflasu 'myd.

MAE CYNGHANEDD YN LYSH

Mae gyd o ffrindiau ysgol fi yn dweud i fi fi'n sgwâr,
Ond onest, mae'r Cynghanedd peth ma'n rili troi fi ar.
Mae ddim fel fi yn swot na dim, neu'n *Welshy kinda geek*,
Mae jyst yn peth fi'n dwlu ar, sy'n kinda gneud fi'n *freak*.

Fi gyda Odliadur ac mae odliadu'n *fun*,
Mae Cynghanedd i'r *dead serious*, a credu fi, fi yn!
Rhai weithie mae'n rhy gormod i cadw e mewn fy hun,
Fi'n eisiau, even ysu . . . Hei gweld! Mae hwnna'n un!

Fi'n gneud fe yn y bore, fi'n gneud fe yn y pnawn,
Ac un dydd bydd fi mewn y Cadair pan bydd fi 'di gneud
fe'n iawn.
Fi'n cael e bois, fi'n cael y nac, fi'n cael i gyd o'r iaith,
Ac unrhyw ffordd, mae *motto* fi'n 'Hir Byw am Canu Caeth'.

MENYWOD

(Darn i unigolion a chôr cydadrodd)

A Wel dyma ni yn gwmni hynod,
'Does yma ddim byd ond *Menywod.*

Côr Tew, tenau a thal,
Rhai yn ddi-ddal,
Ac ambell dafod
Yn hynod,
Yn syndod i
Sasiwn a saint
Ond O! y mae'n fraint
I fod
Yn fenywod.

B Rwyf yn eithaf blin
Am y truan ddyn.

C Y mae ef o hyd

Ch Yn fud

D Yn y byd.

Dd A dyna ei gais

E Yw cael clywed ei lais.

F Ond druan, yn fuan fe'i boddir.

Ff Ac fe'i soddir

G Gan

Côr Y *Menywod.*

A A phwy yw dyn?

Côr *Dyn*?
Yr hen wlanen flin,
A'i lef megis brefiad
Hen ddafad ddiniwad.

B Fe'i ganwyd,

C Fe'i magwyd,

Ch Fe'i codwyd,

D Fe'i noddwyd,

Dd Fe'i naddwyd,

E Fe'i lluniwyd,

F Gan bwy?
Gan neb, ond . . . y

Côr *Menywod*.

Ff Ac o ble y daeth y menywod hyn?

G Y mae'r sôn yn syn.

A Yr un gyntaf o Eden.

B Mor chwimwth â chwannen.

C Ar ei haden

Ch Yn Eden.

D Mor slim â chwningen.

Dd Mor ysgafn â chleren

E Yn bwyta cwrensen

F Ar deisen.

Ff Ac fe aeth yr un oedd yn Eden

G Yn ddwy.

A A mwy.

Côr Ac fe aeth y ddwy yn dair,
A'r bedair yn wyth,
A'r wyth yn llwyth,
A'r llwyth yn llawer,
A'r llawer yn fil,
A'r fil yn filiwn . . .
Myrdd,
Myrddiynau
A mwy.

B A hwynt hwy

C Yw'r

Côr *Menywod.*

Ch Ac fel mae'r clêr ar y ddaear

D Mewn tas a phen talar,

Dd Y mae'r fenyw yma,

E A hi a deyrnasa,

Côr A phwy a edliw?
Tragwyddol yw'r fenyw,
Crino mae dyn

Fel y llwyda'r dail
Am yn ail . . .
O, 'r un gwael!
Ond ni yw'r rhai hynod,
Y bodau hyglod,
Dechrau a diwedd pob pennod.
Ho, ho, ho,
Tali ho,
Nyni, nyni, nyni,
Ie, ie,
Welwch chwi,
Yw'r
Menywod.

BYD YR ADERYN BACH

Pa eisiau dim hapusach
Na byd yr aderyn bach?
Byd o hedfan a chanu
A hwylio toc i gael tŷ.
Gosod y tŷ ar gesail
Heb do ond wyneb y dail.
Wyau'n dlws yn y mwswm,
Wyau dryw yn llond y rhŵm.
Torri'r plisg, daw twrw'r plant
'Does obaith y daw seibiant.
Cegau'n rhwth, a'r cig yn rhad.
'Oes mwydon?' yw llais mudiad.
'Sdim cyw cu ar du daear
Tra bo saig un tro heb siâr.
Pawb wrth eu bodd mewn pabell
Is y gwŷdd, oes eisiau gwell?
A hefyd, wedi tyfu,
Hwyl plant o gael eu plu'.
Codi, yntê, y bore bach
Am y cyntaf, dim cintach.
Golchi bryst, 'does dim clustiau,
Côt, heb fotymau i'w cau,
Na dwy esgid i wasgu.
Ysgol? Oes, a dysg i lu.
Dasg hudfawr, dysgu hedfan
A mab a merch ymhob man.
Dysgu cân, nid piano,
Dim iws dweud do mi so do.
I'r gwely wedi'r golau,
Gwasgu'n glòs i gysgu'n glau.
Pa eisiau dim hapusach
Na byd yr aderyn bach?

MYFYRDOD

Rhowch i mi gilfach a glan,
Cilfach a glan a marian i mi,
Lle na ddaw'r gwylanod ar gyfyl y fan,
Na mwstwr tonnau nwydus, twyllodrus y lli.

Ymhell o'r storm a'i stŵr,
Y storm a'i stŵr a'i dwndwr a'i gwawd,
Lle na ddaw'r gwyntoedd i boeni'r dŵr,
Na'r cesair creulon i daro, cnocio'r cnawd.

Lle na ddaw'r geifr â'u cyrn,
Y geifr â'u cyrn heyrn a hir,
Na phystylad meirch porthiannus, chwyrn,
A'u carnau carlam i godi, torri'r tir.

Rhyw ddedwydd lonydd le,
Llonydd le ar dyle neu dwyn,
Lle caf fodio llawysgrifau'r ne',
Dethol gyfrolau'r doethion, mynachdod
myfyrdod mwyn.

DANGOSAF ITI LENDID

Dere, fy mab,
  i weld rhesymau dy genhedlu,
  a deall paham y digwyddaist.
  Dangosaf iti lendid yr anadl sydd ynot,
  dangosaf iti'r byd
  sy'n erwau drud rhwng dy draed.

Dere, fy mab,
  dangosaf iti'r defaid
  sy'n cadw, mewn cusanau, y Gwryd yn gymen,
  y fuwch a'r llo yng Nghefen Llan,
  bysedd-y-cŵn a chlychau'r gog,
  a llaeth-y-gaseg ar glawdd yn Rhyd-y-fro;

  dangosaf iti sut mae llunio'n gain
  chwibanogl o frigau'r sycamorwydd mawr
  yng nghoed dihafal John Bifan,
  chwilio nythod ar lethrau'r Barli Bach,
  a nofio'n noeth yn yr afon;

  dangosaf iti'r perthi tew
  ar bwys ffarm Ifan a'r ficerdy llwyd,
  lle mae'r mwyar yn lleng
  a chnau y gastanwydden yn llonydd ar y llawr;

  dangosaf iti'r llusi'n drwch
  ar dwmpathau mân y mwsog ar y mynydd;

  dangosaf iti'r broga
  yn lleithder y gwyll,
  ac olion y gwaith dan y gwair;

  dangosaf iti'r tŷ lle ganed Gwenallt.

Dere, fy mab,
  yn llaw dy dad,
  a dangosaf iti'r glendid
  sydd yn llygaid glas dy fam.

RHIEINGERDD

Dau lygad disglair fel dwy em
  Sydd i'm hanwylyd i,
Ond na bu em belydrai 'rioed
  Mor fwyn â'i llygad hi.

Am wawr ei gwddf dywedyd wnawn
  Mai'r can claerwynnaf yw,
Ond bod rhyw lewych gwell na gwyn,
  Anwylach yn ei liw.

Mae holl dyneraf liwiau'r rhos
  Yn hofran ar ei grudd;
Mae'i gwefus fel pe cawsai'i lliw
  O waed y grawnwin rhudd.

A chlir felyslais ar ei min
  A glywir megis cân
Y gloyw ddŵr yn tincial dros
  Y cerrig gwynion mân.

A chain y seinia'r hen Gymraeg
  Yn ei hyfrydlais hi;
Mae iaith bereiddia'r ddaear hon
  Ar enau 'nghariad i.

A synio rwyf mai sŵn yr iaith,
  Wrth lithro dros ei min,
Roes i'w gwefusau'r lluniaidd dro,
  A lliw a blas y gwin.

BÛM EDIFAR FIL O WEITHIAU

Bûm edifar fil o weithiau,
Am lefaru gormod geiriau;
Ond ni bu gymaint o beryglon
O lefaru llai na digon.

SŴN Y GWYNT SY'N CHWYTHU

(Detholiad)

Heddiw
Daeth awel fain fel nodwydd syring,
Oer, fel ether-meth ar groen,
i chwibanu am y berth â mi.
Am eiliad, fe deimlais grepach yn f'ego,
fel crepach llwydrew ar fysedd plentyn
wrth ddringo sticlau'r Dildre a'r Derlwyn i'r ysgol;
dim ond am eiliad, ac yna ailgerddodd y gwaed,
gan wneud dolur llosg fel ar ôl crepach ar fysedd,
neu ether-meth ar groen wedi'r ias gynta.
    Ddaeth hi ddim drwy'r berth
er imi gael adnabod ei sŵn sy'n chwythu,
a theimlo ar f'wyneb
lygredd anadl mynwentydd.
Ond y mae'r berth yn dew yn y bôn, ac yn uchel,
a'i chysgod yn saff na ddaw drwyddi ddim,
– dim byd namyn sŵn y gwynt sy'n chwythu.

★

Hy!
Ti sy wedi bostio erioed
nad oes arnat ti ddim ofn marw,
ond dy fod ti yn ofni gorfod diodde' poen.
'Chest ti ddim erioed gyfle
i ofni na marw na diodde' poen,
– ddim erioed, gan gysgod y berth sy amdanat.
    Do, do rwyt ti, fel pawb yn d'oedran di,
wedi gweld pobl mewn poen,
a gweld pobl yn marw – pobl eraill –
heb i'r gwynt sy'n chwythu dy gyrraedd di'n is nag wyneb y croen,
heb i ddim byd o gwbl ddigwydd y tu mewn i'r peth wyt ti.

I ti, peth iddyn' nhw, y lleill,
Yw diodde' poen a marwolaeth,
yw pob bwlch argyhoeddiad, yn wir,
yn gywir fel actio mewn drama.
Wyt ti'n cofio dod nôl yn nhrap Tre-wern
o angladd mam? Ti'n cael bod ar y sêt flaen gydag Ifan
a phawb yn tosturio wrthyt, yn arwr bach, balch.
Nid pawb sy'n cael cyfle i golli'i fam yn chwech oed,
a chael dysgu actio mor gynnar.
Neu a wyt ti'n dy gofio di'n bymtheg oed
yng nghwrdd gweddi gwylnos Rhys Defi?
Roedd llifogydd dy ddagrau di'n boddi hiraeth pawb arall,
('ar dorri 'i galon fach' medden nhw, 'druan bach')
a llais dy wylofain di fel cloch dynnu sylw;
dim ond am fod hunandod hiraeth pobol eraill
yn bygwth dy orchuddio di, a'th gadw di y tu allan i'r digwydd.
Roet ti'n actor wrth dy grefft, does dim dwywaith,
ac yn gwybod pob tric yn y trâd erbyn hynny.
O ydy, mae hi'n ddigon gwir, wrth gwrs,
na wnest ti fyth wedyn golli dagrau wrth un gwely cystudd
nac wylo un defnyn ar lan bedd neb
o gywilydd at dy actio 'ham',
a gormodiaith dy felodrama di dy hun, y tro hwnnw.
Onid amgenach crefft gweflau crynedig
a gewynnau tynion yr ên a'r foch,
llygaid Stoig, a gwar wedi crymu,
mor gyrhaeddgar eu heffaith ar dy dorf-theatr di?
'O, roedd e'n teimlo, druan ag ef, roedd e'n teimlo,
roedd digon hawdd gweld, ond mor ddewr, mor ddewr.'

Arwr trasiedi ac nid melodrama mwy – uchafbwynt y grefft,
a thithau heb deimlo dim byd
ond mwynhau dy actio crand, a chanmoliaeth ddisgybledig
y dorf o glai meddal dan dy ddwylo crochenaidd.
Na, ddaeth dim awelig i gwafrio dail dy ganghennau di,
chwaethach corwynt i gracio dy foncyff
neu i'th godi o'th bridd wrth dy wraidd.
Ddigwyddodd dim byd iti erioed
mwy nag iti glywed sŵn y gwynt sy'n chwythu
y tu hwnt i ddiogelwch y berth sydd amdanat.

PERTHYN

Maen nhw'n dweud nad yw cenedl yn ddim ond gair
  A chymdeithas yn ddim ond chwedl,
Ac nad yw traddodiad ond talp o grair
  Sy'n atal cynnydd mewn carlam o fyd.
'Dydi cariad dyn at ei fro, medden nhw,
  Yn ddim ond gwendid, penwendid yn wir,
Na'i serch at iaith ei dadau, pw-pw!
  Ond gwagedd, gwagedd i gyd.

Oes dechnolegol yw hon, medden nhw,
  A'r gwyddonydd a'i piau hi;
Fe rwygodd yr atom, ac af ar fy llw
  Nad pell ydi'r dydd y bydd ef ar daith
Trwy wagleoedd di-fater cysodau cudd
  Sy tu hwnt i'r heuliau ar ffiniau Bod.
Ac ni fydd hynny ond toriad dydd –
  Un dydd technolegol maith.

Ac felly, am nad oes dim byd o werth
  Ond gyrru electronau rownd a rownd
I greu isotopau i gronni nerth
  I chwilio'r bydoedd ac i chwalu'r byd,
Bydd yr iaith 'rwy'n ei siarad cyn hir yn sarn
  A'r tir lle'r wy'n byw yn ddim ond tir,
A fi fy hunan yn ddim ond darn
  O freuddwyd na ddaeth yn wir.

Os dyna'r gwir ac os dyna'r ffaith,
  Rydw i'n methu deall paham
Na bawn i'n ddifater i'm bro a'm hiaith
  Ac yn gas gen i 'nhad a'm mam;
Rydw i'n methu gweld pam na fyddai'r byd
  I mi'n ddim ond lwmp o faen,
A'r wawr yn ddim ond cymylwe mud
  A'r machlud yn ddim ond staen.

Rydw i'n gyndyn, mi wn, ac mae'n rhaid 'mod i'n ddwl,
Ond mae gwaed yn fy ngherddded i,
Yr un gwaed ag a gerddodd fy nheidiau bwl,
Ac a wnaeth ein hiliogaeth ni.
Mae'n siŵr 'mod i'n methu, ond mi awn ar fy llw
'Mod i'n gweld, fel y gwelais erioed,
Y wyrth sy'n troi'r ddaear, yr hen, hen ddaear
Yn Gymru o dan fy nhroed.

Mae'r glaw'n diferu trwy goed y cwm
Ac mae'r afon yn llwyd ei lli,
Ac mae'r gwynt yn hen ar y ffriddoedd crwm,
Ac maent oll yn fy nabod i.
Maen nhw i gyd dan do, yr ardalwyr swil,
Ond er na wela' i ddim un,
Mi wn eu meddyliau; yr un meddyliau
Sy'n fy meddwl i fy hun
Yn torri'r iaith, yr un hen iaith
Sy'n wewyr trwy'r un hen waed,
Wrth gerdded dros yr un hen ddaear
Sy'n gyffro o dan ein traed.

Ac yn y cyfanrwydd di-atom hwn,
Y tawelwch diferol gwyrdd,
Lle nad oes fyd ond y byd a wn
A hysbys, gynefin ffyrdd,
Rydw i gartre. Dyna'r unig ffordd o'i ddweud.
Rydw i'n perthyn i'r popeth di-ri
Sy'n cydio amdana i'n dynn, ac maen' hwythau
Yn symud a bod ynof fi.

PAN OEDDWN FACHGEN

Pan oeddwn fachgen yr oedd bro ryfeddol
yr ochr draw i'r mynydd:
yr haul yn sioncach yno, ym mlodau'i ddyddiau;
y lleuad yn fwynach, a'i gorchudd o gyfaredd
yn gorwedd yn ddiwair ar dwyn a dôl;
y nos fel sagrafen,
y wawr fel serch ieuanc,
y nawnddydd fel sglefrio ar y Môr o Wydr,
yr hwyr fel hoe wedi lladd gwair;
wynebau'r werin fel llestri tseina
a'u lleisiau fel ymson dyfroedd dirifedi
rhwng ffynnon a môr,
a'r bobl yn feibion a merched dihenydd,
yn dywysogion ac iarllesau yn y llys;
a holl linellau natur, meddwl, cymdeithas
a dawn ac ewyllys ac aberth
a'r achub a'r trueni a'r hedd,
holl linellau menter, hawl, tosturi,
yn cyfarfod draw ar wastad y llygad
mewn pwynt darfodedig, diddarfod
a elwid Nef:
a'r cyfan yr ochr draw i'r mynydd,
ym Merthyr, Troed-y-rhiw ac Aber-fan,
cyn imi groesi'r mynydd
a gweld.

CRICED

Heddiw yn Lord's y dechreuodd yr ail gêm brawf
rhwng y Saeson a Phacistan,
ac mae'r enwau hudolus eto'n melysu'r haf:
Salim Malik a Mushtaq, Javed a Wasim Akram,
enwau sy'n diferu oddi ar dafod fel mêl.

Criced.
A fu 'no erioed chwarae mor rhamantus ei warineb?
Nid anghofir fyth yr hen Sadyrnau hynny
a dreuliwyd yn trafod bat a phêl
yn araf a hamddenol,
nes i'r haul suddo y tu draw i'r gorwel
ar gopa Gellionnen.

Ac yn y flwyddyn Un Naw Pedwar Chwech
euthum i Lundain ar wyliau gyda mam.
Roedd mam yn wareiddiedig;
fe aeth â'i mab i Lord's i weld gêm brawf
rhwng Lloegr ac India.
Cant dwbwl i Joe Hardstaff,
wicedi di-ri i'r Bedser ifanc,
a'r enwau hudolus yn diferu oddi ar dafod
fel mêl:
Amarnath a Mushtaq, Mankad a Merchant.

Fe gedwais y cerdyn sgorio am flynyddoedd lawer,
ond fe'i collwyd rhywle rhwng yr heuliau sy'n suddo
y tu draw i'r gorwel
ar gopa Gellionnen.

A cholli mam.
Y fam eisteddodd yn yr haul drwy'r dydd,
yn gwylied gêm na ddeallai mohoni,
am fod hapusrwydd ei mab yn bwysig iddi.

CWM ALLTCAFAN

Fuoch chi yng Nghwm Alltcafan
Lle mae'r haf yn oedi'n hir?
Lle mae'r sane gwcw glasaf?
Naddo? Naddo *wir*?

Welsoch chi mo afon Teifi'n
Llifo'n araf drwy y cwm?
Welsoch chi mo flodau'r eithin
Ar y llethrau'n garped trwm?

A fûm i'n y Swistir? Naddo.
Na, nac yn yr Eidal chwaith,
Ond mi fûm yng Nghwm Alltcafan
Ym Mehefin lawer gwaith.

Gweled llynnoedd mwyn Killarney
Yn Iwerddon? Naddo fi;
Tra bu rhai yn crwydro'r gwledydd
Aros gartref a wnes i.

Ewch i'r Swistir ac i'r Eidal,
Neu Iwerddon ar eich tro,
Ewch i'r Alban, y mae yno
Olygfeydd godidog, sbo.

Ond i mi rhowch Gwm Alltcafan
Pan fo'r haf yn glasu'r byd,
Yno mae'r olygfa orau,
A chewch gadw'r lleill i gyd.

Welsoch chi mo Gwm Alltcafan,
Lle mae'r coed a'r afon ddofn?
Ewch, da chi, i Gwm Alltcafan,
Peidiwch oedi'n hwy . . . *rhag ofn*!

PAN FO'R GWYNT

Pan fo'r gwynt yn wyrdd,
Gwymon yn y môr,
Cnawd yr eiddew
A gwydrau ffenestri'r llyn

Pan fo'r gwynt yn felyn,
Y tywod a'r cregyn,
Corawdau'r daffodil,
A'r lleuad ar lawr y llyn

Pan fo'r gwynt yn goch
Ymhell ar y môr,
Ceirch ac afalau,
A thanau'n cynnau yn y llyn

Pan fo'r gwynt yn ddu,
Yr haul ynghudd
Yn seleri'r llyn,
Caf hyd i'r peth a gollwyd.

MIS BACH

(i Rhiannon)

Fe ddoist yn gynt na gwyntoedd
gaea' blin, yn rheg a bloedd;
yn gynt na'r cennin gwantan
sy'n lluwch melyn ym mhob man;
yn gynt na'r blagur gwyn
ar wegil noeth y brigyn:

fe ddoist cyn i'r borfa ddod
a llafnau'r glaw yn llofnod;
dod yn rhyfeddod na fu
dy ail yn unrhyw deulu;
yn gynt na defaid ac wyn
a gwennol gynta'r gwanwyn:

cyn i Ebrill Cochwillan
dorri gair, doist di â'r gân
i farchogaeth, ferch Ogwen,
a'th iaith yw dy hudlath wen,
â'r eira'n frech ar lechi
doist cyn dy ddisgwyl di,

ond eto, nid oedd dy atal,
yn ddi-oed, dof innau i'th ddal.

CÂN Y CADEIRIO

(Addasiad)

Henffych i'n Prifardd ar fuddugol hynt,
Seiniwn dy enw i'r pedwar gwynt.
Ti ydyw seren beirdd yr Ŵyl i gyd
Cenwch yr utgorn i bedwar ban y byd.
Henffych Brifardd! Gweiniwyd llafn y cledd,
Bloeddiodd yr Eisteddfod yn unfryd, Hedd.

Cenwch, gyd-wladwyr, heddiw'n ddiwahardd;
Cenwch wrogaeth i Gadair y Bardd.
Gorsedd dehonglwr ein breuddwydion mud,
Gorsedd y Gwir yn erbyn y Byd.
Henffych Brifardd! Gweiniwyd llafn y cledd,
Bloeddiodd yr Eisteddfod yn unfryd, Hedd.

Ninnau, gymrodyr, eiliwn ein boddhad;
Calon wrth galon yw cri'r Corn Gwlad.
Llygad goleuni beunydd ar dy lwydd,
Duw a phob daioni iti'n rhwydd.
Henffych Brifardd! Gweiniwyd llafn y cledd,
Bloeddiodd yr Eisteddfod yn unfryd, Hedd.

FY IAITH, FY NGWLAD
CÂN GENEDLAETHOL MERCHED Y WAWR

O eiriau mwyn fy iaith,
Anwylaf chwi,
A'u plethu wnaf yn dynn
O gylch fy nghalon i;
Ni chaiff na gormes hir na'r un sarhad
Fyth ddwyn oddi arnom ni ein hiaith a'n gwlad.

Byrdwn:
Ein hiaith a'n gwlad, fe'u caraf fwy a mwy;
Fe bery popeth hardd tra paront hwy.

O enwau gwyn fy mro
Ar dŷ a nant,
Fe ganant yn fy ngho'
Nes dod yn eiddo'r plant;
Ni chaiff yr estron hy na thwyll na brad
Fyth ddwyn oddi arnom ni ein hiaith a'n gwlad.

O hiraeth hen y tir
Sydd dan fy nhraed,
Ti gadwyd gan fy hil
Trwy ddirfawr chwys a gwaed;
Fe gadwyf hyn am byth i mi'n goffâd
Mai'n heiddo annwyl ni yw'n hiaith a'n gwlad.

GORWEL

Wele rith fel ymyl rhod – o'n cwmpas,
Campwaith dewin hynod;
Hen linell bell nad yw'n bod,
Hen derfyn nad yw'n darfod.

DRAMA'R GENI

Dwi 'di actio yn hon ers dwi'n cofio
a'r un yw pob sgript i gyd;
ond un peth sy'n ei wneud yn gofiadwy,
dy fod di yn y ddrama o hyd.

Ond dwi'm isho bod yn fugail
yn cerdded bryn a rhos
a rhynnu yn yr oerfel
wrth wylio'r praidd liw nos.

Lletywr o'n i llynedd,
lletywr cas rhif tri,
yn gweiddi dros y capel
nad oedd 'na le gen i.

Mae bod yn un o'r doethion
yn gallu bod yn cŵl,
ond mae gwisgo cyrtens parlwr
yn fy ngwneud i deimlo'n ffŵl.

Mi fwynheais i fod yn Herod,
'do'n i rioed 'di bod o'r blaen,
ond mae bod yn gas bob blwyddyn
yn gallu bod yn straen.

Mi o't ti'n Gabriel llynedd,
dwi'n cofio hynny'n iawn,
am fod dy eiriau'n hedfan,
am fod dy olau'n llawn.

Dwi'n un ar ddeg eleni,
dyma 'mlwyddyn ola i
i fod yma ar y llwyfan
ac wrth dy ochor di.

Ti 'di actio ymhob drama,
a hynny ers pedair oed;
bob Dolig a thrwy'r flwyddyn
ti 'di bod yn angel 'rioed.

Mi actia i leni eto,
mi ddysga i bob un gair,
a plîs, ga i fod yn Joseff
os byddi dithau'n Mair?

DWI'N CAEL FY STALKIO GAN SIÂN LLOYD

Dwi'n cael fy stalkio gan Siân Lloyd,
y ddynes deud y tywydd,
mae'n anfon e-byst rownd y ril
a tecstio yn dragywydd.

Mae cael fy stalkio gan Siân Lloyd
yn brofiad reit anghynnes:
mae'n ffonio'r tŷ 'cw'n ganol nos
i sôn am ffryntiau cynnes.

Mae hi a Stifyn Parry Sws
(sy wastad efo'i gilydd)
'di codi pabell yn 'rardd ffrynt,
y diawled bach digwilydd.

Dwi'n cael dim munud i fy hun,
wir yr, does 'na ddim llonydd,
mi ddringant fryniau ar fy ôl
a nofio dros afonydd.

Mi es am *sauna*'r dydd o'r blaen,
a *guess* pwy ges i'n gwmni?
Na, nid Siân Lloyd a Stifyn Sws,
ond y blydi brodyr Gregri.

Mi ges i lond bol yn y stêm
o'r brodyr bach yn chwsu
a'n malu cachu yn ddi-baid:
es allan i'r *jacuzzi*.

Ond wrth 'mi setlo yn y twb
a'r bybls yn chwyrlïo,
mi ddaeth Meic Stevens mewn i'r dŵr!
wel, wyddwn i'm lle i sbio.

Wrth lwc, doedd Meic yn gweld dim byd,
ma'n reit ddall heb ei sbectol,
so neidiais allan heb ddeud dim
a mynd i'r dre am bybcrol.

A mewn â fi i'r Morgan Lloyd
i yfed peint mewn heddwch,
ond pwy oedd yno ond SIÂN LLOYD!
Sut mae hi'n neud o, meddwch?

Dwi'n meddwl symud i Tibet
neu Kazakhstan, neu Cemaes,
a tyfu barf a siafio 'mhen
i ddengid odd'wrth y ddynes.

Ond neith o'm gweithio, gwn yn iawn
lle bynnag y rhoddaf fy nhroed
yno'n aros amdana i
fydd dannedd gwyn Siân Lloyd.

CRYS Y MAB

Fal yr oeddwn yn golchi
Dan ben pont Aberteifi,
A golchffon aur yn fy llaw,
A chrys fy nghariad danaw,
Fo ddoeth ata' ŵr ar farch
Ysgwydd lydan, buan, balch,
Ac a ofynnodd im a werthwn
Grys y mab mwya' a garwn.

Ac a ddoedais i na werthwn
Er canpunt nac er canpwn,
Nac er lloned y ddwy fron
O fyllt a defed gwynion,
Nac er lloned dau goetge
O ychen dan eu hieue,
Nac er lloned Llanddewi
O lysiau wedi sengi.
Faldyna'r modd y cadwn
Grys y mab mwya' a garwn.

RHYFEDDODAU'R WAWR

Rhyfedd fu camu'n ddirybudd i'r wawrddydd hardd
  A chyrraedd sydyn baradwys heb groesi Iorddonen;
Clywed mynyddlais y gwcw yng nghoed yr ardd,
  A gweld yr ysguthan yn llithro i'r gwlydd o'r onnen;
Rhyfedd fu gweled y draenog ar lawnt y paun
  A chael y cwningod yn deintio led cae o'u twnelau,
Y lefran ddilety'n ddibryder ar ganol y waun,
  Y garan anhygoel yn amlwg yn nŵr y sianelau.
Rhyfeddach fyth, O haul sy'r tu arall i'r garn,
  Fai it aros lle'r wyt a chadw Dyn yn ei deiau,
Nes dyfod trosolion y glaswellt a'u chwalu'n sarn
  Rhag dyfod drachefn amserddoeth fwg ei simneiau;
Ei wared o'i wae, a'r ddaear o'i wedd a'i sawyr,
Cyn ail-harneisio dy feirch i siwrneiau'r awyr.

DAU HANNER

Tybed fy mod i, O Fi fy Hun,
Yn myned yn iau wrth fyned yn hŷn,

A gwanwyn a gwenau a gwibiog hynt
Yn gwahodd fel y gwahoddent gynt.

Na ato Duw! Canys eir trwy'r byd
O'r crud i'r bedd, nid o'r bedd i'r crud.

Ac eto, gwych fyddai geni dyn
Yn hen, a'i iengeiddio wrth fynd yn hŷn;

A'i gladdu'n faban ar ben ei daith,
Â llonder sych yn lle tristwch llaith.

★

Yn wir, yn wir meddaf i chwi,
Fe aned un hanner o'r hyn wyf i

Yn hen, a'r hanner hwnnw y sydd
Yn mynd yn iau ac yn iau bob dydd.

Rhyw hanner ieuenctid a gefais gynt,
A hanner henaint fydd diwedd fy hynt –

Hanner yn hanner, heb ddim yn iawn,
Heb ddim yn ei grynswth na dim yn llawn.

Ac mae'r hanner hen, wrth fyned yn iau,
Heddiw'n ymhoywi a llawenhau;

A gwanwyn a gwenau a gwibiog hynt
Yn gwahodd fel y gwahoddent gynt.

MEWN DARLLENIAD BARDDONIAETH

'Dyma'r tro cyntaf i ni glywed eich iaith,
darllenwch hi eto,'
meddai'r merched proletaraidd yng nghlwb y werin.
'Mae hi fel aderyn dieithr
yn hedfan ar draws y Fistiwla,
yn esgyn ac yn disgyn,
yn disgyn ac yn esgyn
yng nglesni'r clyw.'

'Darllenwch hi eto,
mae hi'n llawn lliwiau
i ni yma.
Mae hi'n wyrdd fel gobeithion,
yn felyn fel hyder,
yn goch gan ddicter,
wrth i'w phlu fflachio
dan haul ein gwrando.'

'Darllenwch hi eto.'

Cwestiwn!

'Yn eich gwlad chi,
ydy hi fel un o'r adar lliwgar hynny
a gedwir mewn cawell?'

CÂN BRYCHAN

Pwy fynd i'r ysgol yn yr haf
A ni ar ddechrau'r tywydd braf?

Pwy wrando athro o fore hyd nos
A deryn du ym Mharc Dan Clos?

Pwy eiste lawr, â'r drws ar gau
A Dad yn disgwyl help i hau?

Pwy adael Ffan o naw hyd dri,
Heb neb i chware gyda hi?

DISGRIFIAD O DDIOGI

Pennill yw hwn yn llais ffermwr sy'n dal i orwedd yng nghysur a gwres ei wely, rhwng cwsg ac effro, ac yn methu ymddihatru ohono, tra bod bywyd ei fferm a'r dydd yn mynd rhagddo.

Diogi, diogi, gad i mi godi,
Mae'r gwartheg yn yr ŷd!
Aros funud . . . aros funud . . .
Dy'n nhw ddim yno i gyd.

RHYDDID

(Detholiad)

Yn yr amser amherffaith y caniateir
i ni freuddwydio ynddo, mewn seibiannau
rhwng ufuddhau i'r tician digyfaddawd,
pan fydd y sêr i'w gweld, a'r holl fydysawd
yn canu'i delynegion i ni'n dau,
yn nhywyllwch canhwyllau, yn sŵn ceir,
mae'r nos yn cau.

Am nad yw arad dychymyg yn troi'r stryd
yn fraenar cyfiaith lle cawn ni weddïo,
am nad yw'n codi'r trugareddau gollwyd
heb eu marwnadu'n iawn, am na all breuddwyd
drwsio egwyddor clociau, am y tro
yn salem ein noswylio, dyna glyd
yw byw dan glo.

Yma mae ein cyfaddawd, ein hamser cain,
rhwng diniweidrwydd rhemp ein caru cyntaf
a'r llwch anadlwyd gennym ers blynyddoedd
yn llundain-ddoeth, yn gyfrwys fel dinasoedd.
Rhyngddynt, a rhwng y coed ar lannau Taf
noswyliwn mewn dawns olaf yn sŵn brain,
ryw noson braf.

ARGOED

(Detholiad)

Argoed, Argoed y mannau dirgel . . .
Ble'r oedd dy fryniau, dy hafnau dyfnion,
Dy drofâu tywyll, dy drefi tawel?

Tawel dy fyd nes dyfod dy dynged
Hyd na welid o'i hôl ond anialwch
Du o ludw lle bu Argoed lydan.

Argoed lydan . . . Er dy ddiflannu,
Ai sibrwd mwyn dy ysbryd, am ennyd,
O ddyfnder angof a ddaw pan wrandawer . . .

Pan fud wrandawer, di-air leferydd
Y don o hiraeth yn d'enw a erys,
Argoed, Argoed y mannau dirgel?

POWDWR

Hyfrydwch i'th glust
A fu tincial y gwydrau
Gynt ym mharlwr y clwb nos;
Synhwyrus rythm y miwsig
Yn corddi bwrlwm y gwaed
Yng ngwythi dy wddf,
A chrefftus wawr dy wynepryd
Yn pelydru croeso.

Tithau, ar lwybr yr antur henffasiwn,
Yn parchus buteinio dy dda;
Y llygad yn brathu hyd at y mêr,
A'th osgo hudolus yn taro'r fargen
Beunos yn y mart mwythus.

Ond wele, daeth tro ar fyd,
A chaled weithian i'th wadnau
Yw cerrig y palmant;
Pŵl hefyd, dan ormes y nos,
Yw llewych y lamp gornel,
A'th lygad, wrth y stondin goffi,
Yn clepian ar dy fyw main;
Hwythau'r lliwiau pastel
Yn gelwydd hen ar dy foch.

CARIAD

Gwelais ddawns y darnau arian
Pan fydd yr haul yn golchi'r marian,
Wedyn, oedi yn syfrdandod
Machlud ar y twyn a'r tywod,
Ond fe'm daliwyd gan dy lygaid dyfnion di.

Rhywle draw uwch swae y tonnau –
Galwad gwylan ar y creigiau,
A daw eto falm i'r galon
Wrth noswylio'n sŵn yr eigion,
Ond fe'u ffeiriwn oll am rin dy chwerthin di.

Clywais yno stori'r dryllio,
Y waedd am help a neb yn malio,
Ac yn chwilfriw ar y glannau
Bydd broc môr y torcalonnau,
Ond angor fawr i'm cadw fydd dy freichiau di.

TI

Ti yng nghân yr wylan sy'n bodio ar y gwynt,
Ti mewn llun o Harrods sy'n costio tri chan punt,
A Ti yw'r wennol arian sy'n gorffwys ar ei thaith,
Ti yw y Morris Minor sy'n dod â Dad o'r gwaith.

Cytgan:
Ti, dim ond Ti,
Dim ond Ti i mi.

Ti yw'r weddi cyn y wawr a'r odl yn y gân,
Ti yw cwrw cyntaf nos a briwsion pice mân,
Ti yw dail yr hydref a'r enfys rhwng y llaid,
Ti yw'r sane wrth y tân i wisgo am fy nhraed.

Ti yw arogl yr heulwen a'r dagrau yn y don,
Ti yw'r poli parot sy'n byw 'da Wncwl John,
Ti yw'r gwanwyn hyfryd a'r pylle yn y de,
Ti yw y Pacistani sy'n gyrru'r bws i'r dre.

TRA BYDDWN . . .

Tra byddwn bydd y Gymraeg yn fargen anodd,
yn haenen styfnig o'r graig,
yn addewid ar obennydd, yn gelwydd rhwng gŵr a gwraig,
yn gwsg aflonydd, yn gytgan feddw ar galan,
yn fur i gadw llain rhag llanw,
yn siarad cwrw, yn grud yn siglo,
yn wydrau'n deilchion, yn draeth ar drai,
yn gecru gwirion, yn wraig yn crio,
yn siwrne i'r de ar fore o Fai,
yn stryd yn deffro i'r dydd,
yn arian creulon, yn haearn crai,
yn niwl yn tagu'r hewlydd,
yn alaw gitâr yng ngolau'r lloer,
yn chwerthin plant ar aelwyd oer,
yn dân gwyllt, yn dynnu gwalltiau,
yn glec cynghanedd, yn gynnau tanau,
yn wenau siriol, yn rawnwin surion,
yn weddi terfyn hen ddynion,
yn emyn olaf ar ymyl bedd,
yn waed ar gledr, yn rhwd ar gledd,
yn llethr llithrig, yn rhaeadr hallt,
yn ffynnon loyw yng nghôl yr allt,
yn Seion ar fryn, yn seilam y dyffryn,
yn gadair olwyn ar erchwyn dibyn,
yn haul drwy'r gawod, yn eira'n dadmer,
yn bump o'r gloch ar bnawn dydd Gwener,
yn gell dan glo'n ddiweddglo'n gaethglud,
yn ias o aeaf, yn briodas hefyd,
yn galon yn curo dan glai'r tomennydd,
yn sgythriad cariad dan seddau'r capeli;
tra byddwn, dibynnwn, dwi'n ofni,
ar gymryd drag o'i pharhad hi.

GWREIDDIAU

(Detholiad)

a'r pren ar y bryn
a'r bryn ar y ddaear
a'r ddaear
ar ddim.

Unwaith, amser maith a mwy yn ôl,
i fyd yn llawn dyfodol,
fe aned mewn dwy fynwes
un wên fach –
a hynny ar hap.

A heb yn wybod,
plannwyd hedyn
o ryfeddod
mewn dwy galon.

Daeth yn sydyn,
mas o ddim,
i fwrw'i wreiddyn.

Ac un diwrnod,
heb ofyn,
daeth blaguryn

yn fory i gyd . . .

unwaith, amser maith a mwy yn ôl.

★

Fesul brigyn
mae aderyn
yn troi'r bore oer
yn gartre braf,

fesul deilen, fesul pluen
casgla'n gymen
ddodrefn ei ddychymyg
â blaen ei big,

fesul curiad
caria fwriad
ei fyd bychan
mewn nodau mân:

'Dere 'da fi i'r man rhwng nos a dydd,
lle mae'r haul a'r lloer yn wên,
lle mae serch y sêr yn llên,
lle 'dyw'r stori fyth yn hen.

Dere 'da fi i'r man rhwng camau'r ddawns,
lle mae pob pluen yn gân,
lle mae'r mwswg yn felfed glân,
lle mae 'nghalon i yn dân.

Dere 'da fi i'r man rhwng dau aeaf,
lle mae'r haf yn oedi'n hir,
at y darn rhwng yr awyr a'r tir,
lle mae'r gorwel yn gweld y gwir.

Dere 'da fi i'r man
uwchlaw'r byd
i chwilio'r bwlch
sy'n nef i gyd –

ffeind a braf yw'r man
lle cawn rannu'r cyfan.'

Fesul nodyn
mae aderyn
yn denu câr
â swyn trydar.

A than gawod o gonffeti,
yn betrus i'r brigyn bregus,
hedfanodd hon i nyth ei galon,
at addewidion.

Yn dyner bu'r adenydd ar fenter ofalus
yn gwthio'r dydd oddi tani
i'w chodi.

Yn gadarn bu'r hedyn cynnar
yn bwrw'i wraidd i ddyfnder daear
a chwilio maeth
i'w chadw.

I'w chadw, a'i chynnal, a'i chodi
yn uwch ac yn uwch ar ei thaith,

ac unwaith, amser maith a mwy yn ôl,
daeth aelwyd newydd
i swatio rhwng canghennau'r
goeden dragywydd.

⋆

Yna, rywbryd rhwng nawr a chynt,
yn rhywle rhwng y gwyrdd a'r glas, ar ras y gwynt,
i'r nyth daeth cyw;
a chyda'r cyw, daeth y byd i gyd i glwydo
o dan ei hadenydd llonydd.

Roedd dyddiau'r hedfan, i hon,
mwy mewn rhyw fan rhy frith i gofio.

Ac o hyd, tyfodd y gwreiddiau mud,
wrth iddi aros yng ngwres y mwswg clyd,
i ddysgu'r un bach
beth oedd beth yng ngardd y byd.

NID LLWYNOG OEDD YR HAUL

Maen nhw'n deud dy fod ti wedi 'maeddu,
maen nhw'n deud nad wyt ti yn fy haeddu,
maen nhw'n deud 'mod inne'n colli arna'
yn rhoi cyfle arall iti wneud fy myd yn ddarna'
ond mi wn
nad llwynog oedd yr haul.

Codi mae'r tarth fel y disgyn dydd,
a nant y dyffryn yn awr ynghudd,
dim ond niwl ar y bryniau draw,
dim ond yr amser da yn ôl a ddaw
drwy niwl y co', ond . . .
nid llwynog oedd yr haul.

Cytgan:
Bu'r byd fel gwely mwsog gyda ti gyda mi,
awyr las ac oriau glasoed gyda mi, gyda ti,
pelydrau Mai yn wincio drwy'r awel ar y dail,
a minnau'n dal i gredu nad llwynog oedd yr haul.

Bu'r dyddiau cynnar yn felys i gyd
ond haul y bore sy'n siomi o hyd.
Tro yn ôl i edrych arna' i,
dwed dy fod ti'n caru'r hyn a weli di
ac mi wn
nad llwynog oedd yr haul.

GLAW MALWOD

Yn y glaw mân
yn y nos gynnes
mae blagur caled y malwod
yn agor yn dawel.

Eiriasedd
arbetalaidd
gwlyb a ffliworoleuaidd
yn symud yn araf,

brigerau
y teimlad
yn chwifio
yn y tywyllwch,

edefyn
yn plygu'n ddall
at oleuni greddf.

Slefr
glasbeilliog
yn cau am y cysgodion

a chynffrwyth chwyddedig
yn rholio'n afrosgo,
yn llyfn a thrwm
ar y coesyn.

Egin gloyw
deuryw
yn un yn yr wyfa,
a'r paill
yn glynu'n dynn
dan y blodigau llwydlas.

Trydarthiad tawel
llafurus
osgeiddig yr hadau hen
yn llenwi'r hwyr,

a melfa'r nos
yn denu'r
celldeillio tywyll
dan gragen dirgelwch.

GAIR O BROFIAD

(Ar ddechrau blwyddyn)

Llwfr ydwyf, ond achubaf gam y dewr;
  Lleddf ydwyf, ond darllenaf awdur llon.
Yn anghredadun, troaf at fy Nghrëwr
  Pan dybiwyf ryw farwolaeth dan y fron.
Di-dderbyn-wyneb ydwyf wrth y bwrdd,
  Beirniadus ac esgeulus iawn o'm gwlad;
Anhyglyw ac anamlwg yn y cwrdd,
  Di-asgwrn-cefn ac ofnus ymhob cad.
Rwy'n wych, rwy'n wael, rwy'n gymysg oll i gyd;
  Mewn nych, mewn nerth, mewn helbul ac mewn hedd
Rwy'n fydol ac ysbrydol yr un pryd.
  Deg canmil yw fy meiau, ond cyn fy medd
Mi garwn wneuthur rhywbeth gwiw dros Grist
Fel nad edrycho arnaf mor rhyw drist.

GWEDDI

Mi wn na ddisgleiriaf fel
diemwnt,
ac nad wyf mor werthfawr â
mererid,
yn oriel dy dlysau;
ond gad imi fod
yn garreg ddi-nod,
a fowldiwyd yn wastad a llyfn
ar draethell y Bywyd
o dan fôr dy Gariad.

IEUAN WYN

CWLWM

Er dirwyn o'r dihirod – ein hedau
Gyfrodedd i'n datod,
Tyn yw rhwymyn yr amod,
Cwlwm hen batrwm ein bod.

DINAS NODDFA

Pan yrr y Sêr eu cryndod drwy dy waed
  Gan siglo dy gredoau megis dail;
Pan brofo'r Nos y pridd o'r hwn y'th wnaed,
  A'i hofn yn chwilio'th sylwedd hyd i'th sail;
Neu pan wrandewi rigwm trist y Môr
  Sy'n dweud yn dywyll ei lesmeiriol gŵyn,
A'r Gwynt sy'n mynd a dyfod heibio'th ddôr
  Yn gryg drwy'r coedydd, ac yn floesg drwy'r brwyn;
Dilyn y doeth, a chyfod iti gaer
  Lle ceffi noddfa rhag eu gormes gref,
Yn arglwydd dy ddiddymdra, ac yn saer
  Dy nef dy hun. Neu ynteu dilyn ef
Pan adeilado deml, nid o waith llaw,
Goruwch dirgelwch Natur a thu draw.

SGLEFRFYRDDIO

Breuddwydion ar gefn sglefrfwrdd,
dyheadau'n rhydd yno
am gasglu pres
a mynd i rywle digon pell.
Rhaid dal i symud.

Gofidiau ar gefn sglefrfwrdd,
cadw'r ddelwedd, bod yn ifanc,
dal efo criw y parc
a gosod rhwystrau yno
y gellir sglefrfyrddio
heibio iddynt,
nid fel bywyd.

Atgofion a rhwystredigaeth
yn cael lle bach ar gefn sglefrfwrdd.
Cofio am y gwaith dros dro yn Llundain
yn dosbarthu parseli ar y beic,
cyn i rywun ddwyn y beic.
A rŵan rwyt ti'n ôl
yn nhlodi storm sy'n hel yng nghefn gwlad.
Am faint yn hwy y gelli di sglefrfyrddio
i'th ddyfodol?

LLEUAD FEDI

Mae ias ym min yr awel,
Ac oerdarth yn y glyn,
Ac udo ci a chadno
Yn esgyn dros y bryn.

Y gwdihŵ o'i chrinbren
A hed wrth loergan hud,
Ac ofn sydd ym mynwesau
Holl lygod bach yr ŷd.

ENWAU

A weli di'r garn ar y gorwel draw
Yn herio'r amserau a rhyferthwy'r glaw?
Bu ganddi enw yn y dyddiau gynt,
Ond aeth hwnnw o'r co' i ganlyn y gwynt.

A glywi di gân yr aderyn o'r rhos
Yn pereiddio'r hwyr wrth gyfarch y nos?
Bu ei enw yntau ar dafodau'r plwy',
Ond ysywaeth hwnnw nis clywir mwy.

A weli di'r blodau ar gloddiau'r rhiw
Yn eu gwisgoedd haf ac yn fôr o liw?
Eu henwau sy'n gwywo ym môn y clais,
Am na chlywir eu hyngan gan odid un llais.

A weli di'r wlad sydd â'i phen i lawr
Yn llechu tan gysgod ei chymdoges fawr?
Mae'n brwydro i gadw ei henw yn fyw
Wrth chwilio'r aelwydydd am glust a glyw.

A deimli di'r gwynt sy'n trywanu'n fain
Gan adael y wlad rhwng y cŵn a'r brain?
Nid oes iddo yntau 'run enw, er hyn
Fe welir ei ôl ar bob pant a bryn.

YM MHORTH-CAWL

Drwy'r dydd daw llef y durtur drist
  O'i chawell melyn ger y tŷ.
Beth yw ei llais? Rhyw ddwyster pêr
  A loes caethiwed, gofid cu,
A chenedlaethau o hiraeth gwyllt
  Am rywbeth gollwyd, ddyddiau fu.

Daeth nos, a mud yw'r cawell hesg:
  Distaw yw miri'r byd yn awr;
Ond dros y morfrwyn crwydra cri
  Y dyfnder lleddf yn disgwyl gwawr –
Y durtur lwyd a gaeodd Duw
  Tu ôl i'r twyni tywod mawr!

CYWYDD Y CWIFF

Nos Calan es allan i
Gaerdydd, ac, oered oedd-hi,
Es mewn crys main, y crys 'ma,
Gwisgwn sent ges gan Santa,
Ac yn fy ngwallt tywalltais
Botel o jel Energise.

Mowldiwn a sgylptiwn â sgil
I fwng agos fy ngwegil,
A chodi'r cwiff yn stiff stond,
Mawrgwiff uchelstiff chwilstond!
Ac wedi tri chwarter awr
Yr own Ventura enfawr.

Cyrraedd rhyw byb, cwrdd â'r bois,
Cyn camu'n un fel confoi
Siaradus i waredu
Dros y dre, a duo'r stryd.
Brain unsain ar gyrch unswydd
Am lond bar o adar rhwydd.
A gwelsom far cymharol
Low-key yn llawn alcohol,
Ond un clîc dan haenau clòs
Porthorion twp. Wrth aros
Am awr o dan bennau moel
Rhyw ddau gawr enfawr, penfoel,
Codai un mewn jaced dynn
O'i *sidewalk* yn reit sydyn –

In you go, gan bwyntio bawd,
But you, stop there, ebe'r brawd
O slob, *no roosters allowed*.

Atseiniodd ei fêt syne
Dros yr Ais, *yeah, nice one Ed!*
Ai Ed-die Izzard ydoedd,
Ai stand up o'r West End oedd?
Ai'r comedian o mlân-i'n
Y jaced dynn oedd Jack Dee?

Meddyliais am ei ddiawlio
Yn y stryd, a'i dagu, do,
Ond tu ôl i'r hen dwat hwn
Yn gymylog mi welwn
Res wisgis dros ei ysgwydd,
A llond bar o adar rhwydd.

Oedais, gwenais yn gynnil,
A rhoi llam o gam drwy gil
Y drws. Roedd adar isod
Yn y bar, ac wedi bod
Ers hir yn aros Eurig,
Yn y man i chwarae mig.

Nesawn at un i'w swyno . . .
Stopiais, a gwrandewais, do,
Arni hi yn dweud wrth un
O'i hadar hithau wedyn –

Pwy ddiawl yw'r bachan howlin
Pen mwng? Ma'n fflipin mingin!
Pwy yw'r boi simp, hairy, obsîn?

Ai fi oedd gwrthrych y ferch?
Na! Es yna i annerch . . .

Watcha mas, ma fe'n paso!
Ebe'r llall, un gall, ond go
Swnllyd 'fyd. *Gwed, ath-e? Do.*

Sidestepiais – dewis dipyn
Gwell, ie llawer gwell, ac un
A wnes i yn ddawnus iawn
Ar garlam mewn bar gorlawn.

Mae gan epa deimlade,
Er cynddrwg ei olwg e.
Mae i'r bwch gafr hylla fron,
Ac i geiliog ei galon.
I *rooster* yn ei dristyd
Nid yw o bwys wawdio byd,
Gwell rhagor yw cyngor cu
Ei gyfeillion, ac felly,
Annwyl wrandawyr hynod,
Pwy sy'n gadarn ei farn fod
Y cwiff yn sgym? Pwy yma
Sy'n dweud fod e'n syniad da?

So heno, dwedwn ninnau
Y caiff bri y cwiff barhau,
Er gwaetha'r diffyg caru
A'r llond bar o adar hy!

So heno, dwedwn ninnau
Y caiff rhwysg y cwiff fyrhau,
I wella'r diffyg caru,
Caf lond bar o adar hy!

HENAINT

Y ddeilen hon, neus cynired gwynt,
Gwae hi o'i thynged!
Hi hen; eleni ganed.

Wyf hen; wyf unig, wyf annelwig oer,
Gwedi gwely ceinmyg,
Wyf truan, wyf tri dyblyg.

Ni'm câr rhianedd, ni'm cynired neb;
Ni allaf ddarymred.
Wia angau na'm dygred.

Truan o dynged a dynged i Lywarch
Er y nos y'i ganed:
Hir gnif heb esgor lludded.

CÂN I'R YCH, MWYNYN PENRHIW'RMENYN, CWM NEDD

Mewn mwynder y mae Mwynyn
Yn pori ar y bryncyn,
'Does yn y sir o ben i ben
Ail Mwynyn Penrhiw'rmenyn.

Lliw blodau gwyn Mehefin
Neu eira ydyw Mwynyn,
Ni cheir yn unlle dan y nen
Ail Mwynyn Penrhiw'rmenyn.

Peth mwyn yw huan melyn,
Peth mwyn yw pib a thelyn,
Y mwyna' drwy Forgannwg wen
Yw Mwynyn Penrhiw'rmenyn.

Yn deffro drwy y dyffryn
Mae blodau teca'r flwyddyn,
Mi bletha rhain yn dalaith wen
I Fwynyn Penrhiw'rmenyn.

Yn deffro drwy y dyffryn
Mae pib y du pigfelyn,
Rhof innau sain heb unrhyw sen
I Fwynyn Penrhiw'rmenyn.

Fel brenin llwybrau'r bryncyn
A'i glychau arian claerwyn,
Â phres addurna cyrn di-len
Hardd Fwynyn Penrhiw'rmenyn.

Y pêr afalau melyn
A fwyti megis plentyn,
Mae rhan o ffrwyth afalau'r pren
I Fwynyn Penrhiw'rmenyn.

'Run hil â'r teirw'n llinyn,
O Aberpergwm ddillyn,
O'r dreigiau hyn yn hil ddi-len
Mae Mwynyn Penrhiw'rmenyn.

'Y ddraig goch ddyry cychwyn'
A gân hen brydydd purwyn.
O'r dreigiau hyn o Lyn Nedd wen
Mae Mwynyn Penrhiw'rmenyn.

Mae'n bengrych ac yn benwyn,
'Run lliw â'r eira claerwyn,
Mae cyrn yn ddwylath ar ei ben
Gan Fwynyn Penrhiw'rmenyn.

Fe dynnaf dannau'r delyn
A'r gân lif yn felyswin,
Ei thannau aur rydd dôn ddi-len
I Fwynyn Penrhiw'rmenyn.

Mae'n hoffi sŵn y delyn
A sŵn y pibau melyn,
A hoff o gainc gan lais fy Ngwen
Yw Mwynyn Penrhiw'rmenyn.

MESUR DYN

Pan gaiff dyn ei fesur, gofynnir gan Dduw
Nid sut y gwnaeth farw, ond sut y gwnaeth fyw.

Nid faint a wnaeth ennill, ond faint fyddai'n rhoi,
Ac a fyddai yn aros pan oedd eraill yn ffoi.

Nid beth oedd ei gred ond beth fyddai'n ei wneud,
A faint oedd e'n teimlo, nid faint allai'i ddweud.

Nid uchder ei feddwl, ond dyfnder ei ras
A'i gymeriad tu fewn, nid ei wên y tu fas.

Nid faint oedd y deyrnged gan bawb i hen ffrind,
Ond faint deimlodd golled ar ôl iddo fynd.

Mae'n dda dweud na allai fyth golli'r un cwrdd,
Ond gwell dweud na throai 'run truan i ffwrdd.

Ac y bu yn oleuni mewn ambell i nos
A throchi ei hun i ddwyn cyfaill o'r ffos.

Ie, dyna'n y diwedd y modd y gwêl Duw
Pa enaid sy'n farw a pha enaid sy'n fyw.

DARLLEN Y MAP YN IAWN

Cerwch i brynu map go fawr;
Dorwch o ar led ar lawr.

Gwnewch dwll pin drwy bob un 'Llan',
Nes bod 'na dyllau ym mhob man.

Cofiwch y mannau lle bu pwll
A chwarel a ffwrnais, a gwnewch dwll.

Y mannau lle'r aeth bendith sant
Yn ffynnon loyw yn y pant,

Lle bu Gwydion a Lleu a Brân,
Lle bu tri yn cynnau tân,

Y llyn a'r gloch o dano'n fud:
Twll yn y mannau hyn i gyd,

A'r mannau y gwyddoch chi amdanynt
Na chlywais i'r un si amdanynt.

Wedyn, o fewn lled stryd neu gae,
Tarwch y pin drwy'r man lle mae

Hen ffermydd a thai teras bach
Eich tylwyth hyd y nawfed ach.

A phan fydd tyllau pin di-ri,
Daliwch y map am yr haul â chi.

A hwnnw'n haul mawr canol pnawn:
Felly mae darllen y map yn iawn.

BRENIN Y CANIBALYDDION

Mi draethaf chwedl fach i chwi
Yn loyw, hoyw, ffraeth a ffri,
Am frenin mawr ei fraint a'i fri,
  Sef Brenin y Canibalyddion.
Ei hyd oedd ddwylath a lled llaw,
A'i ben 'run llun â phen hen raw;
Roedd ganddo swyddogion, wyth neu naw,
A'i balas a wnaed o bridd a baw;
A'i enw oedd Brwchan-wchan-iach,
Llumangi-hyllgi-wichgi-wach,
A'i wisg yn crogi fel hen sach
  Am Frenin y Canibalyddion.

Yn howcio, cowcio, llowcio'n lli,
Chwipio a hicio a chicio'r ci,
Yn strim-stram-strellach yn ei sbri
  Bydd Brenin y Canibalyddion.

Roedd trigain o wragedd yn ei dŷ,
Pob un yn ddu, pob un yn hy,
A deugain o hyll-dduach ddu
  Gan Frenin y Canibalyddion.
Ac felly i gyd roedd ganddo gant
I foddio ei fyd ac i foethi ei fant;
A genid bob wythnos ddau o blant,
A'r Brenin a ganai gyda'i dant,
Gan ddawnsio i Wisgan-isgan-aw
A Sipog-lethog-lwythog-law,
Nes syrthio ar ei gefn i'r baw –
  Ow! Frenin y Canibalyddion!

Un diwrnod gyrrai'r Brenin wadd
I bawb o'i ddeiliaid o bob gradd,
Fod hanner ei wragedd i gael eu lladd
  Gan Frenin y Canibalyddion.

A'i ddeiliaid a ddaethant oll i'r wledd
A bwriad barus ym mhob gwedd;
Pob ysglyfaethgi'n hogi ei gledd
I slifio a hifio yn ddi-hedd;
Roedd pawb yn slaffio a llyncu'n llawn,
A bwytwyd y cwbl yr un prynhawn;
Ac un yn bloeddio,'Mi fwytwn, pe cawn,
  Hen Frenin y Canibalyddion.'

'Rôl iddynt hel yr esgyrn yn lân
Dechreusant ddawnsio a chanu cân,
A'r gwragedd eraill a ddiangasant o dân
  Hen Frenin y Canibalyddion.
Dechreuai'r Brenin floeddio'n hy
Gan ddawnsio oddeutu drws ei dŷ,
''Does yma'n awr ond cais lle bu,
Pa le mae 'ngwragedd, Llym-go-lu?'
A rhedodd i'r goedwig oedd gerllaw
A gwelodd ei wragedd yn law-a-llaw
Hefo'i d'wysogion ymbell-bell-draw –
  Ow! Frenin y Canibalyddion.

Wel, yn union y gyrrodd res o wŷr
I ddyfod hefo'u cleddyfau dur
I dorri eu gyddfau, heb hidio'r cur,
  Braf Frenin y Canibalyddion.
A thorrwyd eu gyddfau bob ag un,
Pob hyll anghynnes ddynes a dyn,
A'r Brenin a chwerthodd ynddo'i hun,
A neidiodd i'w wely i feddwl cael hun,
Ond 'sbrydion y gwŷr a'r gwragedd a ddaent,
A'i binsio a'i bigo a'i flino a wnaent,
A'i foldio a'i rolio bob nos y maent –
  Ow! Frenin y Canibalyddion.

Yn howcio, cowcio, llowcio'n lli,
Chwipio a hicio a chicio'r ci,
Yn strim-stram-strellach yn ei sbri
  Bydd Brenin y Canibalyddion.

AILBERTHYN

Pan fyddo plethwaith a phatrymau'th fywyd di
Ar chwâl yn ddarnau,
A chân yn eirias yn d'ymennydd briw
Heb iddi eiriau,

Diau y byddaf innau yn fy nghell
Heb dân, heb olau,
A gwacter yn gorlenwi f'ysbryd blin,
'Rôl diwedd dagrau.

Tyrd ataf fi, bryd hyn, a daw yn sgil
Ein chwerw gymun
Ryw ddistaw wên, a rhyw lonyddwch gwyn,
A'r dewrder i ailgydio, gyda hyn,
Mewn byd digynllun.

YNOF

Y mae ynof bob munud
o boen ers dechrau y byd.

Y mae ynof bob menyw,
pob plentyn, pob dyn, pob duw,
pob chwedl, pob cenedl, pob cof:
mi wn fod pob dim ynof.

Ynof mae Marx a Lenin,
Che a Mao a Ho Chi Minh,
Thatcher a Galtieri,
Rasputin a Stalin 'sti.

Ynof mae saith banana
a chennin a phwdin ffa.

Bu ynof unwaith bannas
ond y maent wedi dod mas.

TYDI, A RODDAIST

Tydi, a roddaist liw i'r wawr
  a hud i'r machlud mwyn,
tydi, a luniaist gerdd a sawr
  y gwanwyn yn y llwyn,
O cadw ni rhag colli'r hud
sydd heddiw'n crwydro drwy'r holl fyd.

Tydi, a luniaist gân i'r nant
  a'i su i'r goedwig werdd,
tydi, a roist i'r awel dant
  ac i'r ehedydd gerdd,
O cadw ni rhag dyfod dydd
na yrr ein calon gân yn rhydd.

Tydi, a glywaist lithriad traed
  ar ffordd Calfaria gynt,
tydi, a welaist ddafnau gwaed
  y Gŵr ar ddieithr hynt,
O cadw ni rhag dyfod oes
heb goron ddrain na chur na chroes.

SAN MALO

Yn llwyd a hen ar benrhyn tal,
  Yn eithaf gwerddon Llydaw fras,
A'i muriau'n herio'r môr di-ddal,
  Y'i gwelais gyda'r bore glas,
    San Malo.

Yn hyfryd hen, a'r iorwg ir
  Am dŵr ei theml o lofft hyd lawr,
A'r gwylain, hwythau'n rhesi hir
  Anghyson oedd ar fagwyr fawr
    San Malo.

Ei dyfal seiri ers hirfaith dro
  Yng ngrodir Llydaw'n ddwfn eu hun,
Heb ddim a geidw'u henw ar go'
  Ond cadarn waith eu dwylo'u hun –
    San Malo.

A'r llong a'm dug drachefn i'm bro
  Ar flaen y gwynt fel deilen grin,
Gwelais – ai am yr olaf dro?
  Yn llwyd a hen rhwng gerddi gwin,
    San Malo.

I'R GWEDDILL

Fel angor i long mewn tymestl,
felly yw teyrngarwch y rhai ffyddlon
yn awr y difaterwch.

Fel mur cadarn yn amser ymosodiad,
felly yw eu ffyddlondeb hwy
pan fo uchel sŵn yr herio.

Gwynfydedig ydynt
oherwydd eu cydwybod dda
a'u llafur yn yr hen winllannoedd.

Ni fynnant weld yr etifeddiaeth mewn sarhad,
na'r dystiolaeth o dan y cwmwl.

Tystion i'r Arglwydd ydynt
yn eu sêl ddiysgog
a'u dyfalwch wrth loywi'r trysor.

Ni ddiffydd fflam Gwirionedd yn eu bro,
cans cryfion ydynt mewn cred
a'u gobaith sy'n goleuo ffenestri'r seintwar.

O'u plegid hwy
bydd eto sain gorfoledd yn y pyrth
a llonder yng nghartrefi'r tir.

Eu ffydd a geidw'r llwybrau yn agored
fel na fydd ofer chwilio
pan gilio'r cysgod.

Tynnant y dŵr o ffynhonnau doe
i gawgiau'r heddiw blin,
a bydd yfory'n gwybod gwerth y gamp.

Talwn iddynt wrogaeth wiw,
cans hwy sy'n braenaru'r meysydd
i gynhaeaf yr Ysbryd Glân.

Y CWCH OLAF

(Yn iaith hen longwyr y Borth, wrth edrych ar gwch
olaf y tymor yn gadael y lanfa am Lerpwl)

Ma' hi'n mynd o'r golwg, Huw Gruffydd,
Fe basith drwyn Penmon fel ffluwch;
Ma' Stafford a fi 'di bod fforin,
Be' chi'n sôn am ych Strêts, neno duwch?

Dowch adra am 'panad 'ta, hogia,
Dim golwg na sein o'r hen fôt!
Ma'r gwynt wedi oeri 'ma'n barod,
Hei, Stafford, côd golar dy gôt!

Un lwc cyn gadal y pïar,
Dim ond rhimyn o fwg wrth y bliw!
Ma' 'ma lai yn ffarwelio bob blwyddyn,
Llai heddiw na 'rioed o'r hen griw.

Cyn daw hon eto i fyny 'ma, hogia,
O Lerpwl i'r Strêts yn 'i hôl,
Bydd cwch amal un 'di mynd fforin,
A dim ond 'i wêc ar 'i ôl.

CAPEL TŶ'N DRAIN

(Ardudwy)

Rhwng y muriau
gwyngalch hyn
unwaith
daethant I'th geisio,
a'u coleri gwynion
yn crafu
llosg haul y cynhaeaf.

Ac yn Nhŷ'n Drain
bryd hynny
roeddet Ti yno'n aros,
aros am Morus Gelli-las
a'i ddyled efallai,
neu'n aros
i estyn Dy law drugarog
i forwyn fach Uwchlaw'r Coed
a'i baban dibechod –
oherwydd
yma yn Nhŷ'n Drain
bryd hynny
aeth rhagfarnau'r dydd
o'r tu arall heibio.

Ond heddiw
a'r muriau gwyngalch
yn gysgodion gwyrdd,
mae rhedyn emrallt
yn glustog
ar sedd y pulpud.
Ond tybed
a wyt Ti yno o hyd?
Neu efallai
i Ti gael digon
ar aros.

BE YDI BARDDONI?

Barddoni ydi
Bod mewn cors hyd at eich gwddw
Yno'n suddo, yno'n geirio,
A neb o gwbwl yn gwrando.

Barddoni ydi
Sefyll yn wynebu clogwyn
Yn gweiddi, gweiddi yno
A dim oll yn dod odd'no
Ond eco.

Barddoni ydi
Bodoli mewn tywyllwch,
Neu grafu o gwmpas mewn llwch . . .

'Pam, felly, gwneud hyn oll?'

Cwestiwn da,
Wel, y mae o, welwch chi,
Yn rhywbeth i'w wneud
On'd ydi?

CANOLFAN SIOPA DEWI SANT

Codwyd adeilad helaeth
dan enw Dewi Sant
yn ein prifddinas ni.
Cewch gerdded mewn clwysty
ar un ochr iddo
a sbio ar lwydni'r hen eglwys gadeiriol
gerllaw.
Enw Dewi sydd ar honno hefyd,
ond mae'n llawer llai enwog,
a llawer llai sgleiniog
na'i chymydog newydd.

Yr ochr draw i'r drysau trwm
cewch brofi tir bendithion,
lle mae persawr yn yr awyr,
swynol nodau cerdd a dyfroedd byw.
Dan uchel eang wydrog do
mae allorau a lloriau llyfn,
ac ar bob tu
ceir trysorfeydd sy'n llawn prydferthwch
a gogoniant.
Dyma nefoedd o bryniadau,
dyma bwyslais ar yr hyn sy'n dda –
o deisennau hufen moethus mawr
i berlau a diemwntau drud.
Gwyrthiol o dda yw'r gwerthiant.

A'r cwbl dan enw Dewi Sant.

Beth ddywedai Dewi, tybed,
am y lle?
Ein hatgoffa am y pethau bychain
a welsom
ac a glywsom
ganddo fe?

GWELD IWERDDON

Mae cerdd ym môr Iwerddon
nos a dydd, mae dawns y don
yn dyst i rythmau distaw
nodau'r golau hallt a'r glaw:
o glydwch y goleudy
ymleda holl gymylau du
yr awyr fel clerwyr claf
yn hwylio'u cytgan olaf,
ac ar y tywod nodau
sgôr rhyw gerddor fu'n gwau
ei ddeiryn o gerddoriaeth,
cantata lle treigla'r traeth:

yma o hyd, lle cryma môr
Iwerddon, daw'r hen gerddor
i ymarfer ei offeryn,
tiwnio'i grwth, a'r twyni a gryn
i rym iasoer y miwsig
a dawns y cymylau dig,
roc a rôl crac yr heli,
a thwrw mawr llawr y lli
a yrr eu hiasau drwy'r cerrynt
a rhuo'u gwefr ar y gwynt:
a thon ar don yn cyd-uno
â'r nwyd yn ei fodhran o:

yma'n ei gwman mae'n gwau
ei newydd harmonïau,
sŵn bas cyson y bae
uwch araf don y chwarae;
curiad y glaw yn cario
anthem hir ei rythmau o:
tyrd yma i'r wylfa, a'r hwyr
yn sianel i bob synnwyr,
i weld y môr a'i gerddoriaeth
yn taro ril ar y traeth;
gweld y wefr sy'n sigl y don,
gweld harddwch, gweld Iwerddon.

YNYS ENLLI

Pe cawn i egwyl ryw brynhawn,
  Mi awn ar draws y genlli,
A throi fy nghefn ar wegi'r byd,
  A'm bryd ar Ynys Enlli.

Mae yno ugain mil o saint
  Ym mraint y môr a'i genlli,
Ac nid oes dim a gyffry hedd
  Y bedd yn Ynys Enlli.

Na byw dan frad y byd na'i froch,
  Fel Beli Goch neu Fenlli,
On'd gwell oedd huno dan y gŵys
  Yn nwys dangnefedd Enlli?

GALARNAD

Trwy bennod ein trybini – gwn y'n dwg
    Ni'n dau ryw dosturi
  Yn y man, ond mwy i mi
  Glyn galar fydd Glangwili.

Mae'n galar am ein gilydd, – am weled
    Cymylu o'r wawr newydd,
  Galar dau am gilio o'r dydd,
  A galar am gywilydd.

Dygwyd ein Esyllt egwan, – man na chaiff
    Mwy na chôl na chusan,
  Beth sy'n fwy trist na Thristan
  Yn ceisio cysuro Siân?

Ei hanaf yn ei hwyneb, – yn gystudd
    O gwestiwn di-ateb,
  Ac yn ei chri i ni, er neb,
  Anwylder dibynoldeb.

Nef ac anaf fu'i geni, – caredig
    Gur ydoedd ei cholli,
  A didostur dosturi
  Ei diwedd diddiwedd hi.

Amdo wen fel madonna, – yn storom
    Y distawrwydd eitha,
  Ar ei bron cenhadon ha',
  A'i grudd oer fel gardd eira.

O dan y blodau heno – mae hen rym
    Mwyn yr haf yn gweithio,
  A chysur yn blaguro
  Lle mae'i lludw'n cadw'r co'.

Yn nagrau'r gwlith bydd hithau – yn yr haul
Wedi'r elom ninnau,
Yma'n y pridd mwy'n parhau,
A'i blawd yn harddu'r blodau.

Nid yw yfory yn difa hiraeth,
Nac ymwroli'n nacáu marwolaeth,
Fe ddeil pangfeydd ei alaeth – tra bo co',
Ei dawn i wylo yw gwerth dynoliaeth.

CANRANNU

(Cyngor swyddfa'r Gweinidog dros Ddiwylliant, yr iaith Gymraeg a Chwaraeon, sydd yn dal i fynnu mai rhywbeth i'r 20% yw'r Gymraeg yn 2005)

Wrth gerdded ar hyd strydoedd ein Cymru PC,
Os clywch chi eiriau sy'n ddieithr i chi,
Da chi, gorchuddiwch glustiau eich plant
Rhag clywed iaith aflan yr ugain y cant.

Trowch y radio i fyny er mwyn boddi sŵn
Y mwydro dieflig sydd fel cyfarth cŵn,
Rhag clywed y geiriau fel t'wysog a sant,
Sy'n rhoi tân yn llygaid yr ugain y cant.

Maen nhw'n byw ym mynyddoedd y gorllewin coch
Ac yn sibrwd cyfrinachau, foch ym moch,
Yn gosod propaganda i alaw cerdd dant,
Hen ddiawled digywilydd yw'r ugain y cant.

Maen nhw'n sleifio fel *guerrillas* ar hyd y lle,
Yn canu clod i ETA a'r IRA,
Chi'r pedwar ugain, cofiwch redeg bant
Os gwelwch chi aelod o'r ugain y cant.

⋆

Wrth fwydro a brwydro ble bynnag y boch
Am hynt y Gymraeg, dadleuwch yn groch
I gyfeiliant pob nodyn, pob telyn, pob tant,
Bod hi'n perthyn i bawb, nid i ugain y cant.

Y FFORDD FAWR

Blentyn y glaw a'r gwynt,
   Er taenu o'r nos,
Rhyfygus yw dy hynt
   O gwr y ffos.

Eisoes mae utgorn draw
   A llewych hir,
Blentyn y gwynt a'r glaw
   Prysura'n wir.

Mae'n rhaid wrth nawdd i ti
   I'th gadw'n iach,
Aros, mi'th gludaf di,
   Lyffant bach.

CAWOD

(Yn ystod Cwpan Pêl-droed y Byd 2002, gwelwyd Jac yr Undeb yn cyhwfan yn braf tu fas i'r Prince Llywelyn Inn, Cilmeri.)

Rhag y gawod cysgodaf
fan hyn dros ryw beint fin haf;
man lle na bo syrthio sêr
na hynt y gwynt dros gownter;
bar uniaith, lle i'r brenin,
bar sigaréts lle bo'r sgrin
a chriw'r groes goch ar grys gwyn
yn hawlio'r Prince Llywelyn.

Ac ar ôl ei gwrw rhad,
San Siôr ei hun sy'n siarad:
Olé a Michael Owen
a'r *Sun* yn wir sy'n ei wên;
ugain rheg yw ei gân rydd,
'Ere We Go yw ei gywydd.
Haul mawr sydd dros Gilmeri,
haul mawr fel dilyw i mi.

Rhag ei haul, a rhag alaw
Eng-e-land, af at fy nglaw;
o *Eng-e-land* at fy ngwlad,
a'i brain a'i ab yr Ynad.
Storm gyfeillgar o arw
sy'n well na'u holl groeso nhw,
ac mae, yn ei hymgom hi,
gawodydd i'm cysgodi.

YMA WYF INNAU I FOD

Mae 'na ddau yn mynd i ryfel y tu allan i'r Pendeits
tra bo'r afon dal i chwydu ei phoen i'r aber,
mae 'na sŵn poteli'n chwalu fel priodas lawr y lôn,
a neb yn meddwl gofyn pam fel arfer;
mae 'na ferched heb fodrwyau yn siarad celwydd noeth,
mae'r dref fel tae 'di'i mwrdro ar ei hyd;
ond mae'r lleuad dal i wenu ar hen strydoedd budur hon
fel pob tref ddifyr arall yn y byd.
Mae'n flêr a does 'na'm seren heno i mi uwch fy mhen,
dwi'n geiban ond yn gwybod mai yma wyf innau i fod.

Mae 'na ddiwrnod newydd arall yn sleifio i lawr Stryd Llyn
ac mae hogiau'r 'ochr bella' yn dod yn heidiau,
a dod y maen nhw i gwyno nad oes unlle gwell i fynd
cyn mynd i'r Harp i yfed efo'u teidiau.
Does ganddyn nhw ddim breuddwyd na 'chwaith yr un llong wen,
ond mae ganddyn nhw ei gilydd reit o'r crud,
ac mae'r haul yn dal i godi calonnau'r dref fach hon
fel pob tref ddifyr arall yn y byd.
Mae'n flêr a does 'na'm seren heno i mi uwch fy mhen,
dwi'n geiban ond yn gwybod mai yma wyf innau i fod.

A'r hogiau llygaid barcud, efo'u sŵn a'u rhegi mawr,
y rhain sy' piau pafin pob un stryd,
ond y rhain a'u hiaith eu hunain sy'n cadw'r dref yn fyw,
fel pob tref ddifyr arall yn y byd.
Mae'n flêr a does 'na'm seren heno i mi uwch fy mhen,
dwi'n geiban ond yn gwybod mai yma wyf innau i fod.

MYNEGAI I LINELLAU CYNTAF Y CERDDI